ちくま新書

現場力

——強い日本企業の秘密

光山博敏
Mitsuyama Hirotoshi
中沢孝夫
Nakazawa Takao

1494

現場力——強い日本企業の秘密【目次】

第三章　競争優位の分水嶺――日本のものづくりの強みとは　089

まえがき

日本の働く人たちの現場は、健全に復活している。バブル崩壊以来の三十年近い日々は、そのまま現場の付加価値をつくりだす能力を鍛え直す日々でもあったといってよい。グローバル化とデジタル化の進展、そしてデフレ圧力のもとで、日本経済の基盤を担う個人と法人は長い困難を過ごしてきたが、生き残った現場（企業）は、変化する環境の中で、市場の仕組みを改めつつ固有の競争力を磨き、経営の健全性を取り戻しているといって差し支えない。

本書は、日本の働く人の多数派が属する中小企業を中心に、まず企業の価値とは何か、そして企業の品質の基準とはどういうものかを確かめ、「継続する」ことの大切さを確認する。そのことは、企業の健全性を支えるのは固有の技術でありサービスであることと、それを支え生み出す組織としての能力構築の内実を点検する作業でもある。

むろんその作業は誰がどのように、という具体的なものだ。ＡＩで……とかＩｏＴで……といった多義的あるいは不正確な言葉では説明にはならない。サービスのかたち、つくるべきものや製造設備の開発力、たえざる工程の改善といったことにより、職場はつねに「具体的」である。またその具体性は、国や地域によっても、歴史経路が異なるが故にそれぞれの特徴（固有性）をもっている。日本、ドイツあるいはEUの諸国、東アジア、ASEAN、アメリカといった地域の個別性には、いわゆる比較優位を生み出す違いがある。それは強みと弱みと言い換えてもよい。

それゆえ私たちは「アメリカでは……」「ドイツでは……」といった事例によって日本の産業の目標やモデルを求めることに限定的な同意しかしない。それぞれの国や地域の文化は異なることによってこそ意味があると思うからだ。

私たちは日本の現場志向のものづくり思想の源泉を振り返り、「よいものづくり」をする根拠を明らかにし、そのことが世界的な強さとなっていることを確認する。むろん技術はいつも進化する。しかし進化（深化）させる方法論はそれほど変化することはない。課題設定、方法論の開発、不確実性への対応といった基本能力の多くはアナログなものであり、デジタル化されにくい。つまり形はマネができても競争力の源泉はマネにくいものである。それはインターネットによって検索できたり、受信できたりするものではない。

たしかにデジタル化とグローバル化は競争の土俵を変える。大きな景気後退などの出来事も同様だが、市場の条件が変わるのだ。つまりBtoC（企業と消費者）、BtoB（企業と企業）は、技術革新や物流の変化を伴いながら取引の方法を多様化させる。だがそのことは、巨大な設備投資が可能な大きい企業が一方的に得をして、小さな企業がますます困る、といったことではない。情報（通信技術）の多様化と多層化は、従来の取引（to）の変化を促すが、同時にチャンスの増大をもたらす。

ともあれ、私たちの仕事と暮らしはいつも具体的であり、現地・現物を根拠地とする。それゆえ私たちは、いつ、どこで、だれが……といった実証を本書で大切にした。

第一章

経営の品質を決めるものは何か

1 企業の品質

†企業の価値はどこにあるか

企業の評価とは、それを語る人間の価値基準に依るところが大きい。たとえば「時価総額」の大きさをモノサシにするならば、圧倒的にアメリカ、次いで中国の企業となる。そして時価総額の大きさは、往々にしてとてつもない「金持ち」を生み出す。いわゆるGAFA（グーグル、アップル、フェイスブック、アマゾン）などはその典型だろう。あるいは「稼ぐ力」（利益率）を考えた時、やはりアメリカには群を抜いている企業がたくさんある。

しかし一方で、企業の継続性という基準でみると、日本は世界で群を抜いている。一〇〇年を超えた企業の多さでは圧倒的である。それは長いあいだ他国（他民族）との戦争がなく、生存するための社会環境が安定的であったことにも起因している。また、明治以降、人口が著しく増加したことなども寄与しているといってよいだろう。

日本は江戸期には三〇〇〇万人程度の人口だったが、それからの一五〇年間で一億二〇〇〇万人を超える人口を擁するようになった。第二次世界大戦直後には八〇〇〇万人に足らなかったことを考えても、先進国の中で人口一億人を超える現在の日本は「人口大国」になったといえる。

アメリカの移民の歴史については、みな知っていることなのでここでは述べない。ただ、他国からの移入を含め、アメリカは常に圧倒的な人口大国であり続けている。また、天然資源も常に世界有数であり、極端にいえば「いざとなれば自給自足が可能」な唯一の国といってもよい。

それゆえ輸出比率は常に小さい。日本がアメリカに次いで輸出比率が低いのも、相対的に人口が大きく、それゆえ内需が大きいからであった。鉄鋼、電機機器、自動車、造船、化学、食品、パルプ、繊維……と、どの産業も「群雄」が割拠し、「小さな差別化」を競ってきたのは、「相対的人口大国」であることと無関係ではない。つまり、国内市場が大きかったのだ。

しかし、特に一九九〇年代に入り、バブル崩壊からの二〇年余りの日々においては、金融を含めた再編の波が押し寄せ、一つの産業内に林立していた企業の統廃合が進んだ。これは、もちろんグローバル化の波と技術革新の進展の結果である。

ただ、そうした動きの一方で、日本で進展したのは、「完成品」よりも、中間財（部品や素材）、あるいは補完財の領域である。他国に代替されない固有の技術に支えられる中間財の多くは、藤本隆宏（ふじもとたかひろ）がかねてよりインテグラル（擦り合わせ型）として概念化している領域であり、理論的根拠も明らかである（藤本二〇一七）。また、国際大学の伊丹敬之（いたみひろゆき）も藤本と同様の見解に立ち、日本が築いた強みの領域を「複雑性商品」と呼んで概念化している（伊丹二〇一九）。

EUに眼を転じてみると、EUは小国の群れである。人口八〇〇〇万人のドイツを除くと、イギリス（二〇二〇年二月に離脱）、フランスは日本の二分の一であり、そのあとにイタリアやスペインなどが続くが、圧倒的に人口の少ない国が多い。それゆえ、ヨーロッパはEUが成立する前から交易が盛んであり、輸出比率はお互いに高い。もともとお互いの国の存在を前提としているからである。つまり利害関係が密接である。だから「摩擦」が絶えることなく、戦乱の日々が長く、戦争のない期間と同じくらい続いたりした。

それゆえ第二次世界大戦後の「平和の長さ」は記録的であったといってよい。EU諸国が大きな国の支配によってまとまるのではなく、小さなままで成立し続けたのは、それぞれの国（地域）の歴史経路、産業の違いを尊重してきたからであった。

†私たちが見落としているもの

こうしたそれぞれの国や地域の違いは、いわゆるグローバル化のなかで大きく揺らいでいるかのように見える。とくに「情報化」の進展は、過去との決定的な決別を迫っている。あるいは大きな変革を促しているかのように見える。しかし「情報機器」を含め、「用具」（道具）はあくまでも人間が開発したものであり、それが人間によって使いこなされることによってはじめて「有用」になる、という事実に変わりはない。

本書で繰り返して指摘することになるが、そのことは、私たちが近年の「情報狂騒」の中で、大きなものを見落としているのではないかという疑念と重なる。「IoT」「AI」「インダストリー4・0」「GAFAの支配」といった喧伝（けんでん）の中で、事実と本質をもう一度見直す必要があるのではないのか。

たとえば、二〇一四〜一六年に経産省の一部とビジネスジャーナリズムが「インダストリー4・0」という名で大きく仕掛けた潮流があったが、私たち（光山・中沢）は、この「一国を一つの工場のようにする」という「標準化と共通化」へのプロパガンダは、あらかじめ失敗していることを指摘した（「一橋ビジネスレビュー」2017年冬号）。

それは（後述するが）、現場を知らないドイツ国内の知識人（集団）と、ドイツの政治家の「長期スローガン（構想）」が一体化したものに過ぎなかった。これは、ドイツに限らず日本でも現場を知らない者たちがしばしば陥るワナである。しかし、ワナが大きいと、現場を知らないリーダーまでもがそれにはまり込む。彼らは現場を知らない場合が多いため、技術や開発は「計画」できるものだと誤解してしまう。そしてそれを政治課題として間違った旗を振る。その結果、迷惑するのは現場の人間となる。

私たちが立ち返るべきは、技術革新とは何か、競争力とはどのようにして磨かれるのか、そして新しい競争の場はどのようにつくられるのか、という基本である。各種の「情報」もその中で活かされる。

むろん、歴史を振り返ると、「まえがき」で述べたように個別の企業にとってはどうにもならない、(プラス・マイナスは別としても)大きな出来事にしばしば遭遇する。第二次世界大戦後に限っても、朝鮮戦争、高度成長、オイルショック、為替(かわせ)の極端な変動(プラザ合意など)、バブルとその崩壊、停滞、リーマンショックなどがある。しかし、その苦しみから生み出された新たな「価値」もある。

私たちが点検すべきは、まさしくそのことである。ただ、私たちはここで「経済史」を記すつもりはない。点検するのは現場の失敗と成功の真因である。それは地味で平凡に見えるかもしれないが、職場(現場)の長い変革のプロセスの中にこそ、今後の方向も見えてくる。そこで私たちは、そうした平凡な日常の経営の営みから始めることとする。

†競争力とは何か——あるパン屋の例

企業の競争力や利益率、あるいは継続する力など経営の品質は、資本金の額や従業員の数などによって決まるものではない。つまり、大企業か中小企業かといった区分は、もともと企業の評価基準として適切なものではない。同一の産業・業種の中で社会環境・経済条件が同じであるのに、企業間の経営力に格差が生ずるのは、固有のサービスや技術を有しているか否かの違いがあるからである。

また、製品の開発力、生産性の改善、その技術やサービスを進化させる能力を日々育てているかどうかなどによっても、企業の経営力には差がつく。たとえば、トヨタ、日産、ホンダの三社の一九六〇年代からの歴史を比較するだけでもそれは理解できる。

簡単な事例として、町のパン屋を例に挙げてみよう。パンの原料は、小麦粉、イースト菌、バター、塩、その他各種の香辛料などが基本である。ただ、それぞれの素材をどのようにして選ぶか、その配合の具合をどう塩梅するかは店によって異なるし、パンの形状や焼き具合なども店によって異なる。その異なり方が固有性であり、お客の選択の対象となる。

また、ショーケースに並べるとき、フランスパンやクロワッサン、食パンといったものをそのまま並べたり（並べ方にも工夫がある）、ハムやローストビーフなど様々な野菜を挟みサンドウィッチにしたりと、店によって並べ方は千差万別だ。

もちろん、大手のメーカーがライトバンやトラックで運んでくる品物を並べるだけという店もある。パンの値段が高いか安いかは、それぞれのパン屋がショーケースに並べ、お客がその価値を認めることによって決定される。

たとえば東京の浅草の一角（田原町）にある「ペリカン」というパン屋を例に挙げれば、その店は食パンとロールパンの二種類を製造・販売しているが、夕方には必ずすべてが売り切れる。一〇人ほどのパン焼き職人が、朝の三時出勤と八時出勤の二交代で一日に四〇〇本から五〇〇本ほど焼く。ロールパンは四〇〇〇個ほど。食パンの本数が毎日若干変動するのは、予約販売分の多寡による。

この店の食パンは、トーストをメニューに掲げている近隣のカフェなどに「卸」しているが、卸売りは売上の二〇％程度とのこと。新たな依頼はあるが、安定した販売量をキープすることを優先して、売上の増大を目標としていないので卸売りは限定されている。なお、販売係は工場の職人と同様の数で一〇人だ。

ペリカンは三一歳になる四代目が経営しているが、「レシピは五〇年前から変わっていない。素材の中で小麦粉は昔よりもずっと上質のものが手に入るようになったが、それ以外は同じです」とのこと。また、「パンを焼く窯（かま）は設備屋さんとオリジナルなものを作っており、素材（パンの生地）をこねるのも、機械化も可能だが、昔のまま手でこねています」とのこと。

工程を見学していると、こねた材料が次々と焼き上がり、三〇本から四〇本の食パンが台車状のラックに載せられ、ショーケースの傍に運ばれる。四人の販売係がお店の外まで並んでいるお客に対応して、注文に応じて紙袋に詰めて手渡す。お客も、どのパンにするか悩むことがない。メニューは食パンとロールパンしかないので、数の注文だけである。早ければ一七時前、遅くとも一七時三〇分には、すべてのパンが売り切れるのが日常である。

店を大きくしないのは、浅草は江戸時代から栄えた町で、店の隣の土地が空くなどということはほとんど考えられないからだ。また、遠くに工場をつくると、製造と販売が別れてしまい、焼きたてを渡せないし、工場から運ぶ手間が増え、「仕事の流れが変わってしまう」という。以前、遠くに工場を設置してみたが、売上の増大よりも手間ひまの増大が大きかったそうだ。さらに、二〇人前後という今の要員規模のチームワークがよいという。「むろん、大手の製パンメーカーが、工程を機械化し、省人化していることはわかるが、自分のところは今のやり方で、今のサイズが適当だと思っています」と四代目は語る。

職人は高卒と大卒が混じっているが、平均年齢は三六歳。勤続年数は平均すると一五年くらい。最高齢は六五歳。採用するとほとんど定着するが、「一人前になるにはみな一〇年ほどかかる」「一人前というのは、工程内でのちょっとした異常やトラブル、たとえば木の破片が混ざってしまうとか、窯の熱が変化してメンテナンスが必要なときの対応とか、いつもと異なったことへの素早い対応力を身につけることが大事」だという。

これはすべての職場に共通する。いつもの仕事がいつものように流れる安定した工程づくりは大切だし、またその工程の絶えざる改善の工夫も必要だが、どのような職場も思いがけないトラブルに見舞われることが一般的だ。それは金属加工や樹脂加工の職場でも同様である。一人前（新しい社員に仕事を教えられる）になるには平均一〇年かかるものである。

このように経営しているペリカンは、売上とファンの多さにおいて有名ホテルのパンにも負けない。つまり、固有の技術と方法による競争力があるのだ。このペリカンの事例は、そのまま金属加工や樹脂加工の工場・工程にそのまま当てはまる。

†付加価値をつくりだす能力、ビジネスとして継続する能力

基盤技術の一つである熱処理を例に挙げてみよう。以前、放送大学のテキスト（『グローバル化と日本のものづくり』）を執筆したとき、大阪に本社のある（株）東研サーモテックのタイの工場を訪問した。同社のタイ進出は一九九五年、まだ中小企業のＡＳＥＡＮ展

開はわずかだった。スタートのころは三〇人の規模だったが、二〇〇五年の訪問時には一〇〇〇人を超えていた。

よく知られているように、ASEAN諸国ではジョブホッピング（技能や賃金の向上を求めて転職を繰り返すこと）が激しいといわれる。たしかに、すぐに辞める若者が多い。しかし、同社は技能育成（技能移転）、賃金体系の設計など、日本の方法をそのまま移転している。その結果、定着率が高く、勤続一五年、一八年といった技能者が育っている。そうしたベテランは職場のマネージャー（課長職）に昇進しており、一つの工程の全体を管理している。それゆえ、工場内にほとんど日本人はいない。

そして当然のことながら、工程はしっかり管理されている。中沢はこの工場を三度ほど訪ねているが、テキスト執筆時に聞き取りをした事例では、自動車用小物部品の熱処理の工程で、何千個と窯を通したが、最後に引き受けた数百の部品のみ、焼き上がった製品の「光沢（こうたく）」がそれまでの品物と異なることに現場で気がついた。工場の生産ラインのミスを回避するための「ポカヨケ（不良品の選別）」をして、発注元に「同じ熱処理をしたのに光沢が異なっている」と連絡を入れたところ、すぐに製品の引き取りにきた。そして詳細に検査をしたら、混合素材の一部に手違いで異なった素材を混入していたことが判明した。発注元は熱処理メーカーによる「他と異なっている」という「異常」の発見によって、ことなきを得たのである。

あるいは他の製造業を例に挙げれば、電炉メーカーは、各種の鉄くずを炉に投入して、棒鋼や薄板、厚板などを産出する。その時、それぞれの電炉メーカーは、自動車や各種の一般機械の素材としての鋼材、あるいは大きなビルの建設に強い鋼材、または三階建て、四階建てといった比較的小さなビルの建設に向いた鋼材といった、それぞれが異なった用途を持つ鋼材を作っている。

それらの鋼材（棒鋼・細い鉄筋）には、メーカーごとに小さな瘤や凹凸が施されており、その「異形」がそれぞれの特徴をなしている。それがコンクリートを流し込み、固めたときの強度を支える。その工程の半分は標準化されているが、半分は「個別化」であり、それぞれの電炉メーカー（工場）の競争力と関わっている。

また、中小企業の類型として、小さな素材加工のメーカーも例に挙げてみよう。

進化が著しく、日本が強いといわれている医療機器の製造現場を訪れてみると、そこには、画像技術、制御技術、あるいは各種のセンサーといった先端技術が密集しているが、その一つに「微細加工」がある。それはカテーテルなどに必須の技術だ。カテーテルの先端には直径〇・五ミリの極細の管が装着されており、その管には〇・〇二ミリの穴が空けられている。各種の薬などを注入したり、異物を切除するためである。

たとえば胆石の手術などの場合、かつては数センチから数十センチの大きさで身体を切り開いていたが、今は小さな五ミリ、六ミリといった穴を空けるだけである。医療機器の技術が進んだからだ。

岐阜県にある（株）ダイニチ（資本金一五五〇万円、従業員二三人）のような、そうした微細加工を施している会社では、脳神経外科の手術で使う「超音波メス」などもつくっている。それぞれが量産するものではないが、付加価値はとても高い。かつての映画『ミクロの決死圏』の現実世界版である。

つまり「会社」というものは、インプットされたもの（素材）を加工変換して付加価値をつけ、アウトプットする存在である。パンをつくろうと鉄鋼をつくろうと、微細加工をしようと、本質は同じだ。そこでは、「会社の大きさ」は本質的なものではない。ここで本質的なのは、付加価値をつくりだす能力と、ビジネスとして継続する能力である。また、そこで必要なのは、「他と異なった製品開発力、技術やサービス」を有するかどうか、ということである。

†企業の品質を決めるもの

たとえば、中沢が二〇一八年三月まで勤務していた福山大学が位置する、備後(びんご)地域（広島県と岡山県）にある府中市は人口四万人の町だが、社歴が一〇〇年を超える会社が六〇社もある。広島県全体の人口は二八〇万人だが、「百年企業」の数は六〇〇社。実に一〇分の一が府中市に集積している。家具屋、味噌屋、お菓子屋、繊維メーカーと多彩だが、そのほかに、製造業でも八〇年、九〇年といった社歴を有する企業がたくさんある。

備後地域は、昔は山陰と山陽をつなぐ銀山街道の宿場町として栄えたが、瀬戸内海からは遠く、決して便利な地域ではない。それゆえ、生活のための努力を必要とした。

たとえば、中国山脈を後背地としていたので木材は豊富だった。家具屋が栄えたのはそのためだ。特に戦後はどの家庭も何もなかったので、安物から高級品まで家具はよく売れた。団塊の世代が結婚年齢を迎えた一九六〇年代後半と、その子どもたちの結婚年齢にあたる一九九〇年前後は婚礼家具のブームがあり、西日本を中心として、デパートや家具屋が府中の見本市を目指して集結する時代があった。

しかしブームはそこまでだった。現在、下駄箱にしても洋服ダンスにしても、どの家も最初から収納家具は作り付けになった。また、そもそも子どもが減り、結婚する人の数がかつての二分の一以下になった。府中の家具メーカーもピークの七〇社から半分の三五社に減った。しかし半分は、高級家具、いわゆるブランドのメーカーとして生き残り、グローバルな場所で活躍している。また家具屋の関連メーカーも、家具の「下火」のなかで、その技術を他に活かして成長している例がある。
たとえば、間伐材（かんばつざい）などをいったん粉砕し、再度、板状に固め、それを組み立てることによって家具をつくる方法がある。最後の工程では、化粧板を貼り付けて仕上げをしなければならない。

その化粧板の貼り付け（ツキ板という）のプレス機を作っているメーカー（北川精機(株)、従業員一六〇人）が家具の衰退後に進出したのは、各種の書類や部品などをストックする、合成樹脂を素材とした「ストッカー」の製作だった。

そこで活かされたのは、家業の基本であるプレス技術だった。そのプレス技術は、次には軽くて強度の高い新素材としてあらゆる産業に応用されている炭素繊維のプレス加工に応用された。数ミリの薄い繊維を何枚も重ねてパネルにして、航空機の外板などに使う「炭素繊維による板」をつくるのに最適なプレス機である。

また、この北川精機は「熱・圧力による制御技術」を活かして、スマートフォンをはじめとする各種タブレット端末など、あらゆる電子部品に内蔵されているプリント基板の製造に欠かせない「真空プレス装置」の開発も、一九八〇年代の初期に実現している。

こうした技術開発とその応用は、北川精機の固有の「開発力」である。

企業が存続する条件の一つは、この製品開発力である。一〇〇年を超えて続いている企業は、この力を身につけ、企業として継続したのであって、なんとなく一〇〇年が過ぎたわけではない。必死に商品開発をして、我が道を切り開いて来た歴史がそこにはある。それは大企業か、中小企業かという企業規模とは無関係である。

くり返して指摘するが、もともと経営というものは、資本金や従業員数でその「品質」が測れるわけではないのだ。

2 「深層の競争力」とは

†「中小企業」という既成概念

「既成概念」という言葉がある。言うまでもなく、パターン化された決まりきった考え方のことである。いったん世間に「流布（るふ）」してしまうと皆が同じことを言い、同じような考え方が固定される。

たとえば「地方」や「中小企業」という言葉を前にすると、「困っている」「大変だ」「かわいそう」と考えるのが日本の「既成概念」だ。ドイツならミッテルシュタント（中小企業）といえば、「業績の良い規模の小さな企業」というイメージだし、アメリカの場合は「チャレンジャー」という位置づけが一般的だ。

しかし、日本では違う。事実はどうあれ、「地方」と「中小企業」は「かわいそう」でなければならないのである。それゆえ、特に「政治」（と「学者」）は、「地方」と「中小企業」を特別な政策対象として選び、それに関する自分の主張の正当性を競うという状況になりやすい。

むろん誰でも、経営内容のよい中小企業や、活発な地方も存在することはうっすらとは知っているので、「困っている」ことの反動として、「輝く」中小企業や地方をもてはやしたりする。その結果、現実の政策としては、社会政策（福祉）と産業政策とが混在し、きわめてわかりにくいものとなる。

しかし、もともと「中小企業」とは企業としての「規模」を表すものであって、経営内容の良し悪しを表現するものではない。「中小企業基本法」による定義はあくまでも、従業員数と資本金の額を基本としている。つまり資本金三億円以下、従業員三〇〇人以下の（どちらかの条件を満たす）製造業・建設業・運輸業。あるいは資本金一億円以下、従業員一〇〇人以下の卸売業。そしてサービス業は資本金五〇〇〇万円以下、従業員一〇〇人以下。小売業なら資本金五〇〇〇万円以下、従業員五〇人以下……の企業が中小企業であり、そのうちの製造業なら二〇人以下、その他は五人以下なら「小規模企業」と定義されてい

業種	中小企業者（下記のいずれかを満たすこと）		うち小規模企業者
	資本金	常時雇用する従業員	常時雇用する従業員
①製造業・建設業・運輸業 その他の業種（②～④を除く）	3億円以下	300人以下	20人以下
②卸売業	1億円以下	100人以下	5人以下
③サービス業	5000万円以下	100人以下	5人以下
④小売業	5000万円以下	50人以下	5人以下

表1-1：中小企業の定義
製造業のうちゴム製品製造業、サービス業のうちソフトウェア業・情報処理サービス業・旅館業・宿泊業・娯楽業については別の定めがある。

る（表1－1）。

日本全体の「企業数」は三五七万八一七六社（非一次産業）であり、パーセンテージでいえば、そのうち九九・七％が中小企業になる。数が多いので、経営内容に問題のある企業も大企業の不良企業よりも多い。それゆえ目立つのは当然だ。しかも個々の企業は、なるべく過大な課税から逃れるために「全力を尽くす」ので、常に「景気が悪い」と主張することになり、中小企業をめぐる空気・雰囲気はよいものとはならない（二〇一九年度版『中小企業白書』からの数字）。

むろん、「中小」という規模を原因とした経営上の共通点は存在する。その最大の共通点は従業員の採用に表れる。大企業とは異なり、新卒を一括採用したり長期雇用を前提とした人事管理をしたりすることは中小企業にはできない。新卒者（とその親）たちは、就職先を選択する際、誰でも知っている有名企業、所属先として説明しやすい企業を優先する。それゆえ、大企業は全国区での募集が可能であり、新卒の大量一括採用が一般的である。むろん、特殊な職種や専門職の中途採用はいつでも行っているが、基本は会社内で仕事のトレーニングも行う。しかし、中小企業では新卒の定期採用は難しい。

中沢は地方大学で長く教えてきたが、学生たちの第一希望は地域の大企業・有名企業、そして地方公務員へと希望先は偏る。五〇人、一〇〇人といった規模の企業は、業績がよくても第二希望以下になる。

それゆえ、中小企業は中途採用が基本となる。五〇〜六〇人といった規模の会社の場合、高卒、大卒（一九六〇年代前半までは中卒も多かったが）で入社し、そのまま定年まで働いている、という人物は、ほとんどの会社で一人か二人である。

つまり、中小企業の従業員の大半が「転職者の群れ」であるということだ。ということは日本の就業者の七〇％が中小企業に属しているので、約七〇％の人間が転職経験者といってもいい。

また、その「転職者」たちは地元の人たちが圧倒的に多い。多くの人たちは家から通える範囲内に転職する。関東から関西へとか、中部から九州へといった例は少ない。要するに、多くは地元採用なのである。それが大企業とは異なる点だ（中沢二〇一八）。

では、大企業は規模が大きいから「経営品質」がよいのかといえば、そんなことはない。破綻したり、大きなリストラを迫られたり、外国の企業に優良事業部を身売りしたり、といった事例は枚挙に暇がない。もともと企業の大きさは評価の対象にならないというのが中沢の基本的考え方である。また毎年のように『中小企業白書』は、開業率と廃業率の数字を並べ、日本企業の不活発を嘆くのが恒例だったが、二〇一一年頃からの微増という現象もあり近年は言わなくなった。

しかし、振り返ってみれば明らかなように、開業が盛んだった一九六〇年代（高度成長の時代）は、日本の中小企業は「過小過多である」と分析されていた。つまり、小さ過ぎて多過ぎるということだ。そこで、大企業と比べて前近代的な中小企業を近代化させるために、「近代化法」という政策をつくり、同業の中小企業を糾合して大規模化して、「近代化」させようなどという資本主義を否定するようなことすらした。

もちろんその政策は失敗した。経営というのは、個人のアイデアや意思あるいは技術を活かしたい、他人に使われたくない、自分のもつ経営資源を活かしたい、自分なりに社会に貢献したい……といった無数の個人的動機によって出発する。合同会社などにされたら、代表を誰にするのか、誰のアイデアを優先するのか、これまでの顧客をどのような優先順位にするのかわからなくなる。技術開発をしても自分の自由にならない、利益の配分の方法が異なる、さらには経営責任が不明確である、などという様々な問題が登場する。

繰り返しになるが、経営の本質の一つに「他者との差別化」がある。それは会社の規模が小さくても大きくても同じだ。ただ、大企業は資金調達が容易である。直接金融も間接金融も可能だし、資産も大きい。だから潰れにくい。しかし、中小企業の多くは間接金融が中心たらざるを得ない。また、返済条件の「裏書き」も必要だ。会社に法人としての資産がなければ、社長の家屋敷を担保とせねばならない。そうしたやっかいさはある。ただ、開発技術が大きくヒットしたりするとリターンは大きいし、楽しさも人一倍だ。そんな事例を私はたくさん見てきている。

†健全な中小企業

たしかに図1-1を見るとわかるように、近年の日本の開業は少ない。だが、日本と比較して開業の多いフランスが立派なのかというとそんなことはない。そこには「多産多死」と「少産少死」のお国柄が表われるだけである。

もともと「適正な企業数」などはどの国にも存在しない。「政治」が考える「産業政策」の危うさは、いつも、現実の否定、自分より前の政策立案・決定者の否定から始まるところにあると中沢は思う。新たな政策立案者が「何かをやった気分になりたい」というのが、

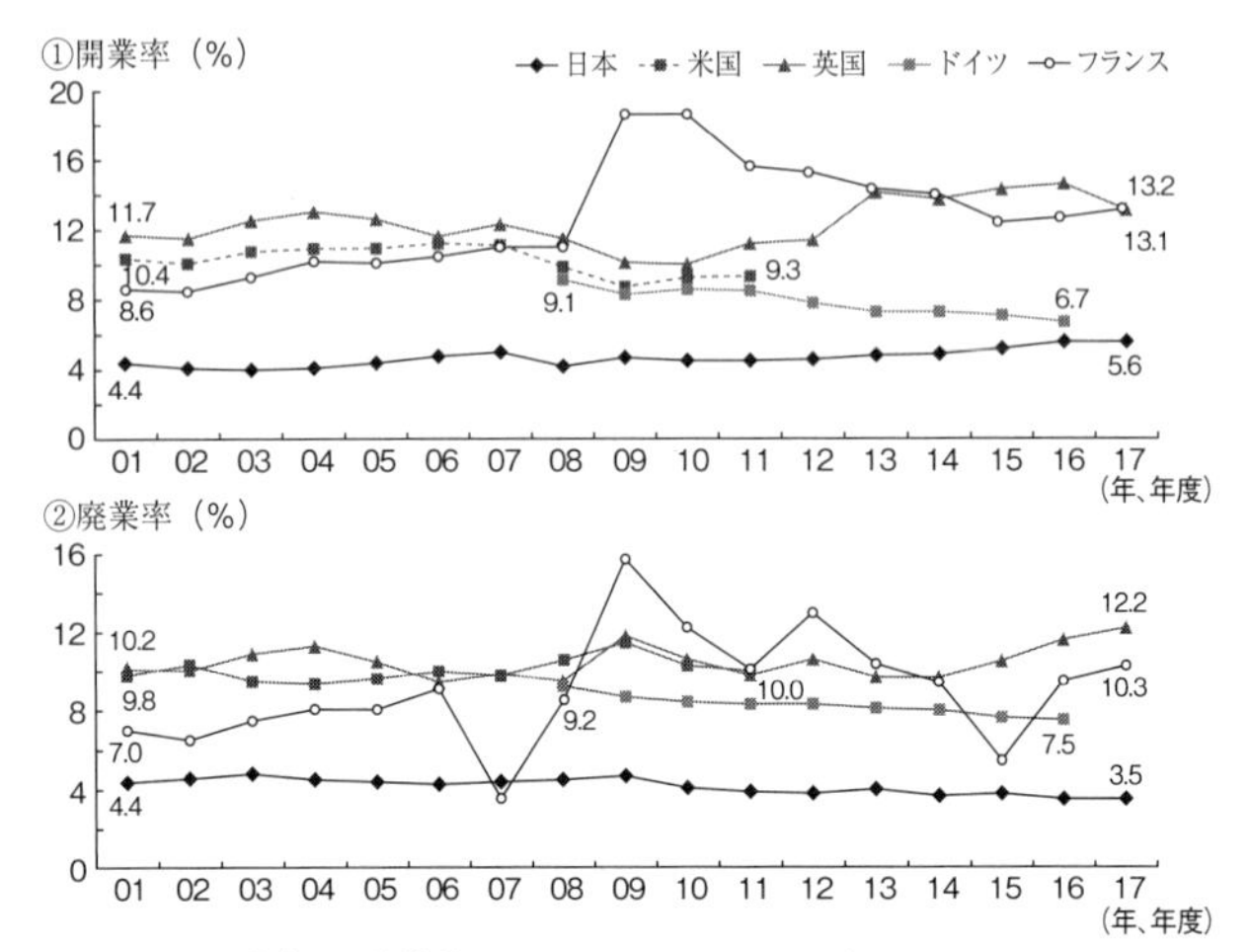

図 1-1：開廃業率の国際比較

日本：厚生労働省「雇用保険事業年報」（年度ベース）
米国：U.S. Small Business Administration「The Small Business Economy」
英国：Office for National Statistics「Business Demography」
ドイツ：Statistisches Bundesamt「Unternehmensgründungen, -schließungen: Deutschland, Jahre, Rechtsform, Wirtschaftszweige」
フランス：INSEE「Taux de création d' entreprises」
出所：2019年版「中小企業白書」

彼らが政策を立案する基本的動機だからである。

たとえば民主党政権が誕生したときに「中小企業憲章」（二〇一〇年）を閣議決定したのはその典型である。もともと「中小企業基本法」（一九六三年に制定され一九九九年に大幅改定）は、理念法であり、実際の各種の政策は個別に制定された。要するに「憲章」は、憲法が気に入らないから別の憲法をつくったということであり、どちらが上位法かもわからなかった。

もともとの一九六三年の基

本法は、「中小企業に関する施策」の「基本となる」「理念」や「方針」を定めたもので、中小企業を支援し、取引の適正化や円滑化や資金確保を目的とした「救済型」の法であった。それが一九九九年の「改定」では「福祉」を中心とするのではなく、積極的な企業を支援するという自立支援の色が濃くなった。

これに対して、二〇一〇年の「憲章」は、EUで二〇〇〇年に制定された「中小企業憲章」を真似したもので、「自民党と異なったものをつくりたい」とする民主党と、「一九九九年の改正法は新自由主義的な発想でけしからん」という立場の中小企業学会のメンバーとの合作だった。むろん今では、旧民主党の記憶と同様に、誰も振り返らない「理念」でしかない。

後述するが、「インダストリー4・0」や「IoT」「AI」などの狂騒曲はみな同様である。囃し立てている人間にだけ「利益」がある。しかし振り返ってみれば、流行に乗ろうとして失敗した事例は沢山ある。「選択と集中」「能力主義・成功報酬型賃金体系への変更」「M&A」「雇用の流動性」……、失敗したのはだいたいが大企業である。「アメリカでは……」といった「出羽守」型経営者は失敗する。

もともと日本は能力主義であり、労働経済学者の故・小池和男氏が『仕事の経済学【第三版】』（東洋経済新報社、二〇〇五年）などで繰り返し指摘していたように、日本の職場には社員による長期にわたる競争がビルトインされている。定期昇給型賃金が占める割合は、「雇用条件」の一部分でしかない。大企業の経営者の中には、往々にして自社の技術的強みや、もっている競争力の内容を知らない人がいる。社長に上り詰めるプロセスのほとんどを、本社内での人事を巡る権謀術数の中でだけ生きてきたからである。

それに対して、自社を知らない中小企業経営者は少ない。むろん跡継ぎ型経営者で、自社の現場で働いたことのない経営者の多くは失敗する。しかし創業者はもとより、第二創業の意思をもつ跡継ぎが存在する中小企業に心配などない。基本はみな健全だ。やる気のある法人も個人も必要なことに取り組んでいる。ただ、経営者の年齢、後継者の不在、立地の不適合の顕在化（五〇年前は工場として適地だったが、その後、住宅地になってしまったといったこと）その他いくつもの理由により、廃業する企業はある。

大企業の場合は経営内容がよいのに廃業するということはない。中小企業が廃業してしまう場合、多くは資本と経営が未分化だからである。それゆえ、中小企業は赤字でなくても廃業する場合がある。たとえば経営権の他者（社）への譲渡、土地を中心とした資産による売却益などによって、経営者がリタイアする方がトクであると判断したときだ。その時は各種の機械や従業員の多くは同業他社に引き取られる。

†「固有の技術・サービス」とは

本章の最後に、「固有の技術やサービス」というものをもう少し掘り下げて考えてみよう。前述のパン屋、電炉メーカー、微細加工会社の事例などは、実は「競争力」の半面である。それはユーザーの必要とする「機能」や「条件」が目に見えて了解できる「競争力」(表層の競争力)である。

しかし、もう一つの大切な面は、製品化する工程全体の流れそのものをつくりだす能力であり、あるいは「固有の技術やサービス」を獲得する能力である。藤本隆宏のいう「深層の競争力」がそれである。完成品に向けての仕事の流れの中で、「どうすればよいものができるか」を常にめざし、考え、実現する「組織能力」が問われる。同業他社との間で企業間格差ができるのは組織能力を構築する力の差である。むろん、その組織能力の中には製品開発力と「工程を作る力」が中心にある。

第三章で詳述するが、完成品メーカーは設計から商品の販売までの「流れ」が長く、無数のティア1(一次協力メーカー)、ティア2(二次協力メーカー)を包摂するが、多くの中小企業の場合は、前述した岐阜県のダイニチや後述する福田刃物工業(株)のように、中間財(部品や素材)の製造が中心であり、「完成品」ではあっても、部分的なユニットが中心となる。

たとえば、自動車やバイクの「バックミラー」を製造するメーカーは、「工程」が短い。しかし、工程そのものはオリジナルなものであって、競合他社との間でなんらかの競争力をもたねばならない。それは組織の持つ「文化」や「歴史経路」の差でもある。「表層の競争力」は技術にしてもデザインにしても真似もできるし、他から購入することもできるが、それを生み出す組織能力そのものは調達できない。自らつくる以外にないのだ。

第二章 すべてのものはインターネットにつながらない

——ものづくりのプラットフォーマー・ドイツ・日本

1　GAFAがアメリカで生まれた理由

†国や企業はそれぞれの「物語」をもっている

国や地域そして企業は、当然のことながら過去から現在に至るそれぞれの「物語」を持っている。それは別の面から見れば歴史的、文化的、地勢的な「制約」の結果であり、そのような環境・条件が形作った「個性」でもある。

第一章で紹介したような企業群は、当然のことながら、それぞれが背負った歴史背景を持っている。かつて経済学者の青木昌彦(あおきまさひこ)が、「歴史的に形成された」制度に関して次のように述べている。あまりに有名な一節であり、かつ少し長いが引用する。

いかなる経済システムも、人口、技術、嗜好、資源などの環境パラメーター値が変化したり、また国際・国内における政治プロセスにおける力関係が変化すれば、それに応じて制度変化を遂げていくであろうし、そうでなければやがて生命力を喪うであろう。またそれぞれの経済システムから学習することによって、システムの自己革新を遂げていくことも出来るであろう。しかし過去の歴史を遡るまでもなく、最近の旧共産主義計画経済の市場経済への転移の過程を見てもわかるように、経済システムの変化は、その歴史的な進化過程を反映した「歴史経路依存的（Path Dependence）」という性格を色濃くもたざるをえないのである。（青木昌彦・ロナルド・ドーア編『国際・学際研究　システムとしての日本企業』NTT出版、一九九五年）

もう一節、『青木昌彦の経済学入門』（ちくま新書、二〇一四年）から紹介する。

もし制度というものが、単に法律や組織など政府が設計・運営できる人工物にすぎないのであれば、良い制度があらゆる国でデザインされ、模倣されて、経済のパフォーマンスが改善されるはずです。しかしながら、実際にはそう短絡的にはいかないのです。

他にも引用したい言葉はたくさんあるが、きりがないのでこのへんでやめておく。

もともと普通に考えればわかることなのだが、それぞれの国や地域、あるいは産業、企業組織には、似たものはたくさんあるし、リバース・エンジニアリング（完成品を分解して、部品や接続法など、全体を解剖して理解する）をはじめとして、模倣から発達したものは無数にある。だが、それはあらかじめ標準化されていたものではないし、共通化されたものでもない。

むろん、パソコンのキーボードの文字列に代表されるように、広く世界に共通する事実上の標準といったものが形成されるのは当然だし、どの地域、どの世代でも通用する共通性を獲得する文物はある。しかし、基本的に国や地域によって「異なっている」。それは「文化」と言い換えてもよい。それゆえ国や地域の文化、企業ごとの文化によって、「比較優位」なるものも形成されるのである。

日本の場合は、江戸時代の末期まで、歴史的に外敵からの脅威が少なく、内乱の時期も限定されていたので、子どもの教育など長い期間が必要とされるテーマに熱心に取り組むことができた。そのような経過をもつが故に、今でも地方に行くと地方自治体が建てた、重要文化財にも指定されている見事な「学校」があるが、それは日本人が「未来」への期待をもつことができたから建てたものである。つまり、日本は国内で安心して教育ができたのだ。途上国の場合は、支配層の子弟はみな先進国に留学する。初等教育から大学教育まで一貫して成り立つ国はとても少ない。

たとえば、中東各国やサハラ以南の国々を見るとよい。石油資源などは豊富だが、製造業は興(おこ)りにくい。いやそれ以前の問題として、王族や部族、そして宗教的権威による権力闘争下では安定した産業を育てることはできないし、最も大切な資源である人的資源も、皆が安心できる秩序が形成できない国や地域では、長期的に教育することが不可能である。

またどのような秩序であれ、秩序があれば暮らしは可能だが、いったん破綻国家となると、周辺国を含めて人々は暮らしの安全を喪い、難民や移民という道を選ばなければならなくなる。そのような国や地域では、制度設計も難しく、長期的な方針が立てにくい。そこには破壊はあっても建設はないからだ。

あるいは、海から何千キロといった距離に位置する山岳地帯や、果てしない牧草地帯、あるいはいつも気温が低く外での作業がしにくい地域でも、新たな産業を興すのはとても難しい。

つまり、それぞれの民族や部族は、与えられた環境の中で生きるために、それぞれの工夫をするものだ。その工夫の多くは、たとえば言語や服装あるいは食料（料理）とその調達、また宗教に代表される精神生活などに「他と異なった」ものとしてあらわれる。その異なったものが「文化」と呼ばれるのだが、それは産業や企業においても同様である。つまり、それぞれが固有性を持っているのである。

†「文化」と「文明」

では、「文化」と「文明」はどう違うのだろう。司馬遼太郎はかつて『アメリカ素描』（一九八六年）の中で「文明」と「文化」について次のように述べている。

文明は「たれもが参加できる普遍的なもの・合理的なもの・機能的なもの」をさすのに対し、文化はむしろ不合理なものであり、特定の集団（たとえば民族）においてのみ通用する特殊なもので、他に及ぼしがたい。つまり普遍的でない。

（中略）

文明は多民族地帯におこりやすい。

多様な文化群がふれあい、たがいに他の長所をとり入れ、たがいに特殊性という圭角（かど）を摩滅させ、ついにはたれでも参加できるという普遍性（つまり文明）ができあがる。

簡単な例を挙げれば、和服（文化）とジーンズ（文明）の違いである。前者は日本でのみ通用し（それも僅かだが）、後者は世界で通用する。この司馬遼太郎の説明以上に、文化と文明の違いを明瞭にわからせる言葉に出会ったことがない。この司馬遼太郎の説明は、青木昌彦の説明と重なる。ちなみにジーンズの素材であるデニムは備後の「カイハラ(株)」の製品が二分の一を占めている。また、カイハラの製品は世界の多くのメーカーが使ってもいる。

なお、一九七二年の沖縄返還とセットで「糸を売って縄を買った」といわれる日米交渉の結果、国による織機の買い上げなどで多くの繊維業者は廃業したが、備後では制服をつくるメーカーになったり、作業衣、特に零下四〇度の冷凍庫内で作業する衣服をつくるなど、特異な製品化によって生き残っている。

†日米のものづくりのちがい

青木と司馬の説明を引用したのは、繰り返しになるが、「IoT」「インダストリー4・0」「ビッグデータ」といった近年、世間を席巻する虚報(きょほう)にまみれた様々な言葉の真贋(しんがん)を説明するためである。

たとえば、今さら細かい説明は省くが、標準化と規格化を基礎とする「フォードシステム」が生まれた必然性がアメリカにはある。原材料(資源)に恵まれ、世界中から集まった別の言葉を話す労働者が門前に列をなし、膨大な消費人口を擁するアメリカでは、大量生産方式は必然であった。あらゆる作業を細分化・単純化し、詳細な職務指示票を作成し、労働者が考える必要をなくして工場の流れ（工程）をつくった。労務管理もその仕事の流れに合わせてつくられた。それは大量の無駄を前提としていた。

その無駄の代表が金属のスクラップであった。

第二次世界大戦の前にアメリカが日本に禁輸したのは金属のスクラップであり、もう一つ禁輸したのが原油だった。それが日本に開戦の直接的な決断を促した。大量のスクラップは日本の船をはじめとするあらゆる産業の素材であった。第二次世界大戦中、日本国内では家庭の鍋釜（なべかま）からお寺の鐘までが徴用されたのはそれゆえである。

それは戦後になっても朝鮮戦争まで続き、日本の産業復興では「節約と倹約」が基本だった。造船も自動車もみな、一切の無駄を排除するにはどうしたらよいかという問いの連続であったといってよい。しかも内需が中心であり、需要が少ないので生産は少量であった。アメリカと生産のシステムが異なっていたのは当然である。

一九六〇年代になって大量の資源を購入できるようになっても、ドル不足が続き、無駄の排除、節約、倹約がすべての前提であった。働く人たちの「創意工夫」が最大の資源であり、仕事に従事する際の基本は職務指示ではなく、「自ら考える」ところにあった。

日本的な「量産」が始まったのは、テレビ、冷蔵庫、洗濯機のいわゆる「三種の神器（じんぎ）」

を中心とする家電からであり、その後にいわゆる「3C」(カラーテレビ、クーラー、自動車)の量産が始まった。しかし家電も自動車も七社、八社といった競合他社がひしめくなかでの「ミニ量産」といった規模だった。もちろんムダはどの会社も出さなかった。

なお、いまや暮らしの「情報のインフラ」として世界を席巻しつつある「QRコード」とその読取機は、デンソーがトヨタとの取引関係によって開発したものだが、スマートフォンの普及とともにさまざまな用途を革新しつつあり、世界の標準として「文明化」しているといえよう。これは日本のものづくりの工程開発によりバーコードの限界を乗り越えた一つの達成である。(小川進『QRコードの奇跡』東洋経済新報社、二〇二〇年)

†アメリカにはアメリカの、日本には日本の「歴史経路」がある

また、勤労者は考える能力をもっており、日本語は誰でもが知っていた。相談はいくらでも可能であり、ものづくりの工程は技術者による設計のみならず、現場の労働者の知恵が最大限に活かされる仕組みができあがった。

日米の良い悪いではないが、資源や人口を含めて地政学的な違いがそこにはあった。ものをつくる方法が異なったのは当然である。今ではますますその差は広がっている。人口三億二〇〇〇万人のアメリカと一億二〇〇〇万人強の日本の差はとても大きい。

ただ、私たちが注意を要するのはこのことである。日本は「にもかかわらず」いつも人口では世界のトップテンにランクしている。先進国のなかで人口が一億人を超えているのはアメリカと日本だけである。そのことが、「アメリカでは……」という「出羽守」を絶えず生み出す土壌となっているのだ。

また、知識人の圧倒的多数はアメリカ留学組であり、かつ政治も行政もアメリカ中心であるからやむを得ない。「先進」がそこにあるからだ。ただ貿易を含め、もう少し「ドイツ」「フランス」「イギリス」といった日本より少し規模の小さな国の「日常」とも比較する習慣が必要だろう。むろんそれがないわけではない。ただ、極論に特化した比較に偏る傾向が強い。

近年は製造業を中心に「ドイツでは……」というキャンペーンが猖獗（しょうけつ）を極めた。それが「インダストリー4・0論」であり、そしてアメリカ仕込みの「IoT」と「AI」も大々的に仕掛けられた。ただ、関心のある人たちはみなすでに事実を知っているので、本書では簡単に触れることとする。

もちろんグーグル、アップル、フェイスブック、アマゾン、といったいわゆる「GAFA」のような巨大なプラットフォーマーはアメリカで生まれ、発展している。それは、フォードシステムがアメリカという場所で打ち立てた「文明」と同根のものである。司馬遼太郎が指摘するように、広く共通するものを構想する力と環境を、アメリカという「風土」は持っている。だから、日本にそれがないことを嘆いても仕方がないのである。それこそが「歴史経路」なのだ。

また、中国では人口と国土の巨大さと共産党による一元的支配によって技術的な模倣はできても、「中華思想」という「文化」で世界に普遍的な「文明」をオリジナルにつくることはできない。EUという大きな共同体であってさえ加盟国の「文化」が異なることによってアメリカのような現象は生じない。

2 インターネットにつながらないものとコト

†無視される情報発信者の「主観」と「生産の現場」

すべてのモノがインターネットにつながるとする「IoT」を論ずる人たちが基本的に無視しているのは、情報発信者の「主観」と「生産の現場」、そして「情報」が存在する「層」の異なりである。

たとえば、GAFAなどのプラットフォーマーのもつ情報の中には、ものをつくるプロセスに関わる具体的な情報は存在しない。存在するのは、これまでにアマゾンなどを利用した「消費者」の利用履歴である。また、その利用履歴は一方的に各プラットフォーマーが保管（データ化）しており、誰でもが利用できるというものではない。

アマゾンとグーグルが、お互いに所有する「情報」を交換することはない。当たり前である。それぞれの消費者、あるいは情報の発信者のプライバシーは基本的に公開されない。各プラットフォーマーが、これまでの個人の利用履歴を利用して（それが固有の競争力だ）、各種のビジネスに利用するのは当然である。「旅行の好み」「読書の嗜好」「買い物の性癖」「必要とする情報の種類」といった利用履歴はそのまま、「各種のお薦め」の「材料」である。それゆえ「中沢孝夫」のもとには、「あなたにお勧めの本」として「中沢孝夫」の本が推奨されるという奇妙な事態になる。

むろん、各プラットフォーマーによる利用者のプライバシーの自由な利用は大きな問題をはらんでいる。

あるいはフェイスブックは自由な言論空間であるように見えるが、問題の多くは情報それ自体の「匿名性（とくめいせい）」あるいは「エビデンスの不明確さ」のなかにあり、それがフェイクニュースと紙一重であることはよく知られている。それゆえ、民主主義の根幹にかかわるものとして、プラットフォーマーへの批判が高まる。

ただ、そうした情報の交換とその問題点には、ここではこれ以上は触れない。大切なのは、プラットフォーマーが「生産のプロセス」に関わることができるか、という点である。結論は単純である。それはほんのわずかな領域でしかない。「あらゆる情報はつながらない」のが「ＩｏＴ」である。大企業にせよ中小企業にせよ、個別の企業の多くは自らプラットフォーマーになりたいという意欲はあるが、それが可能なのは、後述する井上特殊鋼のような「特定の領域」のプラットフォーマーだけである。

また、巨大なプラットフォーマーにしても、各レイヤー（階層）に存在する個別産業、個別企業と連携することによってはじめて新しい領域に乗り出すことができるのだ。インターネットで送受信されるのは、既知（過去）のデータでしかなく、そこに未知の情報は存在しない。しかし、それは個別企業にとってはとても重要である。

なお藤本隆宏はＩｏＴに関して「現在のデジタル化論は、ややもすると上空（サイバー層）を重視するあまり、物理法則の作用する地上の物的世界（現場・現物「フィジカル層」）の複雑さを軽視する傾向がある」「そもそもコネクテッドな工場も自動車も多層的なネットワークを必要とし、必ずしもインターネットだけではない。その意味で、ＩｏＴは概念自体が不正確で、その本質はむしろＩｆＴ（Information from Things: ものから情報をとること）であろう」（「２０１９年版ものづくり白書」）と指摘しているがまったくそのとおりである。

†日本の工作機械産業――個別企業ごとの「IoT」

たとえば、機械をつくる機械であることからマザーマシンと呼ばれる工作機械を見てみよう。これを事例とするのは、工作機械なくしてはものをつくることはできないからである。

日本工作機械工業会には一〇三社加盟しているが、基本的に大企業は少なく、中堅・中小企業が多い。もともと重要な産業だが、業界全体の売上は二〇一三～一九年で一兆五〇〇〇億円程度であり(つい一〇年前は一兆円産業だった)、「業界のサイズ」自体は小さい。しかし、工作機械はものづくりのすべての基礎である。それぞれのメーカーの顧客情報はしっかりしている。どのメーカーも五〇年、六〇年といった歴史を持ち、顧客の多くは長期取引の関係である。工作機械メーカーもその顧客もお互いの要望を大事にして技術を育て合っている。

つまり、工作機械メーカーは、受注し製品を引き渡した後も顧客との関係が続く。部品の交換や各種トラブルの修正や原因追及は常に行われており、しかも日本の工作機械は精密で頑丈なため一五年経っても二〇年経っても稼働する。ビンテージな機械が工場にいつまでもあるのはそれゆえである。

減価償却を終えた機械の利用はコストダウンの方法の一つである。また、工作機械の顧客は絶えず、加工方法や利用方法あるいは機械の改良の要望を寄せており、その蓄積が工作機械メーカーの深化を促す。つまり、BtoB（Business to Business／企業間取引）は、良質な顧客をもつことによってお互いの発展を担保するといってよい。

当然のことながら工作機械メーカーは、製品を引き渡すとき、取り付け刃物など工具や各種の治具（部品その他を押さえるもの）を「顧客情報」のデータとして保存する。特に一九八七年の「東芝ココム事件」以来、どの製品をいつ誰に納めたのかといったトレーサビリティは厳密に求められるようになった。設置した場所から機械を移動したら稼働しない仕組みをビルトインさせたり、転売されたりしても、誰が転売したのか調べればすぐにわかるようにしている。

「ココム」とは「対共産圏輸出統制委員会」のことだが、この事件は東芝機械の製品によりソ連の潜水艦の技術が進歩して、そのエンジン音が消えてしまい、安全保障上の重大な支障が生じたという理由で、アメリカと日本の政治問題にまで発展した事件である。東芝の役員が辞任して当時は大問題となった。日本が「ジャパン・アズ・ナンバーワン」を謳歌していた時代であり、貿易摩擦を含め、アメリカの日本への怒りが頂点に達していた時期のことでもあった。

このときから、日本のメーカーは様々なトレーサビリティを確立した。たとえば、ある製品がいわゆるブラック国に転売されたら、それがどの国のどの会社から転売されたかがすぐわかるような顧客情報の管理である。それは個別企業ごとの「IoT」の成果といえる。たとえば、「IoT」に関して、経済産業省の高官などは、「GE（ゼネラル・エレクトリック社）は自社の製造したエンジンの稼働状況をリアルタイムで把握している」とか、「これが発展するとメーカーが、顧客工場を訪れて「明日、機械が止まります」などと伝えられるようになる」などと喧伝していた。

どの部品あるいは工具が、どの程度の稼働時間で摩滅するか、あるいはどの工具や治具の本体との接続部分に「緩み」が生ずるかといったことは、日本のメーカーはとっくの昔に「情報」として把握しており、顧客との間ではきちんとした情報管理が行われている。経産省の一部が情報を把握していないだけである。ただ各工作機械メーカーのそのような情報はすべて「プライバシー」であり、そうした情報が同業他社と「IoT」で結ばれているということはない。

これは工作機械に限らず、どの産業でも取引先（顧客）との取引内容を公開したりはしない。たとえばコマツ、日立建機、北川鉄工所といったメーカーの建設機械などは遠隔操作が可能であるし、数値制御（NC）が搭載されている機器類、あるいはカスタマイズ化された「ライン」など、多くのメーカーにおいて顧客情報はすべての業種で個別企業ごとに管理される。それは顧客の利益のためだけでなく、自社の技術や利益を確保するためである。つまりメーカーごとに小さなプラットフォーマーとして顧客を自社に取り込むのである。

典型的なBtoBとして生産・製造のラインを新たに構想・設置したとき、協力した設備メーカーはそこで大事な情報を入手する。設備メーカーは、その情報を自分のノウハウとするが、「A社のラインは我が社がつくりました。その内容も説明します」などという会社は存在しない。要するに「あらゆるモノがつながる」という事実はないのである。完成品メーカーと、ティア1、ティア2の関係も同様である。市販品タイプのものを除き、固有の「技術」や「中間財」が関係各社の内部で秘匿（ひとく）されるのは当然である。もちろん、どの会社がどのような技術を持っているかという「情報」は宣伝の範囲で公開される。

3　ものづくりのプラットフォーマー――井上特殊鋼

†二〇〇〇年代に入ってからの変化

前述のような会社のもつ固有の「技術」や「中間財」は、それ自体が会社の生命線であるが、その「固有性」を、どこの誰が理解し、利用してくれるかが企業の継続性と利益につながる。つまり受発注の出会いと適正な価格設定は企業の継続にとって命綱の一つだ。

その命綱の新たな変化は、二〇〇〇年前後からの井上特殊鋼株式会社（本社大阪、井上寿一社長）のようなメーカー兼商社の登場による。それは従来の完成品メーカー、ティア1、ティア2と呼ばれる取引関係を大きく変えるものであると同時に、新しい「受発注形式」のシステム化でもある（井上特殊鋼は資本金一億五〇〇〇万円。従業員数二九六名。法的には中小企業である〔創業は一九二〇年〕。しかし売上は二〇一八年の実績で四四三億円と堂々とした成績である）。

その新しい受発注の典型例が、第一章で触れたダイニチである。ダイニチはM&Aにより、今は井上特殊鋼の傘下（さんか）にあるが、かつては技術はあっても経営に苦しんでいた。それは「自分自身の価値」がわからなかったからであった。「技術プッシュ型」というと聞こえがよいが、下請け(したうけ)をしていれば「営業活動が不要である」という利点のみに目を向け、「技術さえあれば仕事はついてくる」という発想であった。

しかし、工作機械やコンピュータ支援設計(CAD)などの急速な発達は、図面による見積もりを単純化し、かつての競争環境を変えた。それゆえ発注があったときの見積もりが、発注元の意向に一方的に左右されてしまう環境が広がってしまったのである。つまり、競争相手の想定ができず、競争条件が変わってしまったのだ。

それゆえ、材料費、機械の減価償却費、人件費、電気、ガス、水道などの公共料金といった基礎的な数字はあっても、時間あたりチャージ(加工賃)が三〇〇〇円といった状況だった。むろん多くの中小企業が未だにその水準である。しかし、井上特殊鋼の作成した見積もりのチャージは八〇〇〇円を超えた。それは直接的な経費だけではなく、過去からの技術蓄積に要した費用、他に代替の利かない技術力、また単なる微細加工だけではなく、半導体製造装置の重要部品をつくる能力などを踏まえている。井上特殊鋼の膨大な取引データが交渉力の根拠を見直したのである。

その見直す能力とは、比較する能力である。

†ハブ&スポークの仕組み

現在、井上特殊鋼は約三五〇〇社を超える中堅・中小企業の中間財メーカーと取引をし、「どの会社がどのような能力を持っているか」を把握しており、発注元が情報の非対称を利用して一方的に相見積もりで発注を決めるという関係を「牽制(けんせい)する」能力を持っている。つまり、三五〇〇社の中小、中堅メーカーは、井上特殊鋼の二〇〇人を超える営業スタッフを自社の営業スタッフとして使えることになったのである。

また、取引をしている完成品メーカー(顧客数)も四〇〇〇社を超えて互いに繫がっており、どの会社が何をどのように求めているかもデータ化している。つまり、技術的、価格的に最適なマッチングが可能なのだ。それゆえ、ダイニチの見積もりは急上昇し、取引先は飛躍的に多様化した。中沢が井上特殊鋼を「ものづくりのプラットフォーマー」であると呼ぶのはそれゆえである。また、その機能と仕組みはGAFAに似ている。

GAFAの基本的機能(共通点)は、フェデラルエキスプレスを代表とする物流における「ハブ&スポーク」の機能である。つまり、広域から一カ所に「モノ」を集約し、そこで方面別に区分けし、いったんハブにモノを運んできたトラックや飛行機が今度は帰りの便で、ハブで区分されたモノを乗せ運ぶことによって、往復の便に無駄が出ない仕組みになっている。しかし、ハブにつながる（スポーク）各地（スポークの先端）はお互いに交流はない。それぞれがハブにつながるだけである。つまり「情報」は「ハブ」に集約される。

たとえば井上特殊鋼と連携している「スポークの先端」に位置する企業は、鋳・鍛造、精密切削、小物加工、板金プレス、金型、治工具、熱処理、メッキ、塗装……と無数にあるが、関連する仕事であっても、いったんは井上特殊鋼を媒介とする。

仮に金属加工のメーカーが熱処理やメッキを必要としても、自社で他業種と連携するにはリスクが大きすぎる。もし不具合が生じた時に「責任はどちらに属するのか」の判定は、第三者の方が客観的である。またそれ以前に、どの会社にどの程度の技術力があるのかを井上特殊鋼は取引経過によって把握しているので、最適なマッチングが可能なのである。それゆえ、井上特殊鋼というハブにつながるスポークの先端企業は同社の「情報」を活用するのである。

もともと、このハブ＆スポークの仕組みは、アメリカの航空機の乗り換えの仕組みに原型がある。つまりデトロイト、ダラス、ニューヨークといった巨大空港に全米の空港から旅客機が集まり、そこから目的地にむけて乗り換えるという仕組みである。全米の何百という空港から、それぞれの目的地に向けて直行便を飛ばしたら、無数の編み目ができてしまい、大きな無駄が出る（図2－1）。

つまりいったんハブに集約して、再配分する方が合理的なのだ。様々な「情報」はハブとしての井上特殊鋼に集約され、その「技術情報」の必要先と価値が「保存」される。また井上特殊鋼は、スポークの先端であるそれぞれの企業に、新規顧客の情報を流す。つまり井上特殊鋼は、受発注の七〇〇〇社と「情報」でつながっている。

†問われる受注のマッチング

その「情報」とつながることにより、発注側も、どの企業がどのような技術をもち、どのような価格で交渉可能なのかを即座に知ることができる。

それはインターネットで漠然と把握できるものではない。大切なのは「IoT」なる言葉ではなく、その具体性なのである。具体性とは、デスクに座りパソコンで検索できるものではない。人間（営業）が一軒一軒訪問し、必要性と有用性、そして妥当性を「情報」として集めることが前提となる。

受注側にしても、業種にもよるが、五〇人から一〇〇人といった規模の会社の営業担当者はせいぜい二人から三人である。何千という（可能性のある）顧客にトライして、その中から取引先を開拓するのは不可能といってよい。もちろんホームページをつくって自社

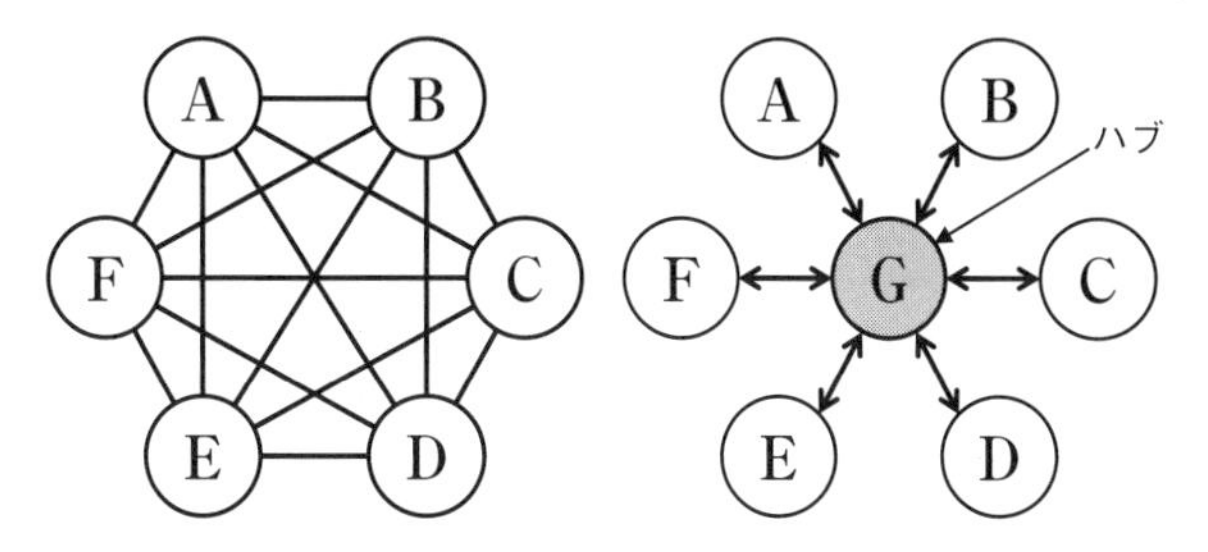

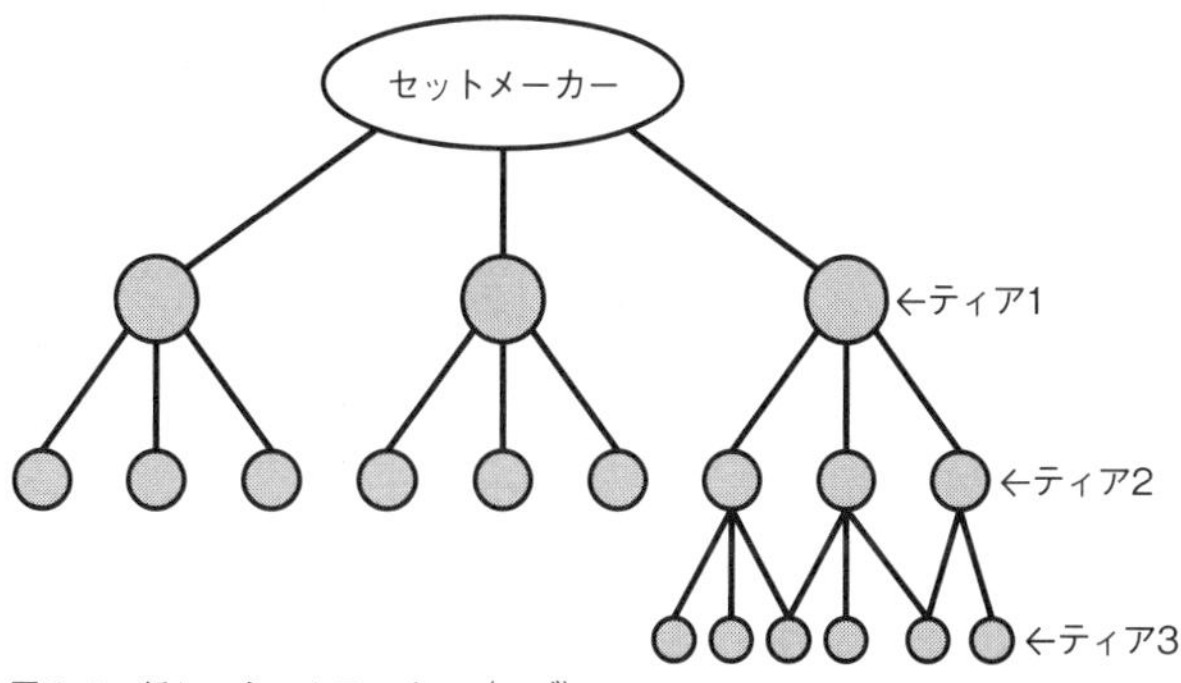

図 2-1：新しいネットワーカー（ハブ）
出所：フレッド・スミス考案の図より作成

の情報を発信するのは当然だし、どの会社でもやっている。しかし、「顧客（発注者）」の側の評価能力はまた別である。それぞれの顧客は、過去の取引経過を技術や価格の「実績」としてカウントするため、新規開拓はとても難しいのだ。

むろん同時に、発注側も技術革新の多様化やグローバル化のなかで、過去の「系列」を中心とした発注先だけでは立ち行かない事態を迎えており、発注先の開拓力や情報収集力が劣化しているのである。

問われているのは受発注のマッチングである。井上特殊鋼の営業担当者への、中沢が参加している「中部圏ものづくり企業の「稼ぐ力」研究会」（座長・新宅純二郎東京大学大学院教授）での聞き取り調査によれば、新規顧客の開拓を「効率」よく行うことはとても大変だ。

たとえば、二〇一五年の新規顧客への訪問回数は三万一五八一回で、開拓社数は四八一社。つまり六五回の訪問で一件の受注だった。しかし二〇一八年の場合は、必要訪問回数は五五・二回と一六％減少し、開拓社数は四九一社に増加している。つまり、営業の「質」が向上（効率化）しているのである。「新規」の開拓は「飛び込み」もあるが、近年は「紹介」が増加しているとのこと。つまり実績の積み重ねが、取引先の増加へとつながっている。

営業の基本が「いかに高く売るか」ではなく「顧客が何を求めているか」にシフトした結果である（結果として粗利益率も向上している）。

スポークの先端の企業の得意技、技術力のレベル、納期の確実性などを考慮しながら見積もりの図面、仕様書、目標価格などを提示する。もちろんＶＥ提案（コスト低減提案）の検討も依頼する。

このようにして、仕入先検索システム、商品検索システム、顧客検索システムなどを開発し、取引実績などを含め、その情報を営業がパソコンに入れて常に持ち歩いている。たとえば「刃物」で検索すると約一〇〇社出てくる。もちろんこれまでの納入先も検索できる。

あるいは、ラビリンス（複雑な溝を有する構造で気体の漏れを防止するシール材）は六三件ヒットする。このような専門的な部品を製造できるメーカーは限られており、キーワードから検索して、商品特性、品質上の留意点、仕入先、得意先、過去の取引実績から粗利益まで「把握」している。

このような受発注の開拓は、二人、三人といった営業では不可能である。二〇〇人を超える部隊と連結した、フル稼働によって初めて成り立つ「営業活動」だ。

ただし、この「ハブ＆スポーク」の関係はネットワークの形式であって、かつての「系列」のような上下関係ではないし、ましてや一部に見られた、「親会社から系列会社への人事の天下り」などはない。その辺は以前とはまったく異なっている。

†技術力と営業力はしばしば一致しない

もともと技術をもつことと、顧客からより大きな付加価値を獲得する能力(営業力)はしばしば一致しない。日本の中小企業には、一九五〇年代の後半から一九七〇年代前半(第一次オイルショック前)に創業した会社が多いが、製造業の場合は創業時に「仕事(受注)はもともと所与のもの」として存在していた。

つまりスタート時に「最もアテにできる下請け」として、勤務先企業と相談のうえ、有能な技術者がアウトソーシング(起業)するというタイプがまずあり、次に技術を移転することによって創業を積極的に促して、単純な仕事の下請け化を拡大する。また高度成長期には、完成品メーカーがコストダウンを要求するよりも、(今では信じられないことだが)あえて高値での仕入れを行って技術向上を促し、取引先(下請け)を成長させ、完成品メーカーとしてのネットワークの強化を図ったりした。それが大手各社の「協力会」の基盤となった。いわゆる「系列」である。

しかし、一九七〇年代初頭からの為替(かわせ)の変動(円高)や、第一次オイルショック後の急速な技術転換は様々な産業のグローバル化をもたらし、かつ国内市場の円熟化により、溢れるように製品も工場それ自体も海外へと進出した。一九七〇年代後半からは家電製品、一九八〇年代に入って自動車産業の海外展開が始まった。

むろん前述の繊維製品のように、アメリカとの摩擦解消のために、沖縄返還の代償として「織機」など関連機械を全面的に国が買い上げ、各地の地場産業としての繊維産業の職種転換を政治的に促した事例もあった。

また、一九八〇年代に入りプラザ合意（一九八五年）により一ドル二五〇円前後の為替がいきなり一四〇円へと切り上がり、海外進出が激増したが、一九八六年頃からのバブルの発生で、一九九一年ころまでは多くの中小企業もその「おこぼれ」で潤った。だが、それ以降の「長期停滞の日々」は、多くの中小企業（特に製造業と卸・小売業）の廃業を促した。

バブルの余韻はあったが、すでに崩壊が始まっていた一九九一年を見ると、製造業の中小事業所・企業数は八五万二二九五であり、大事業所・企業は四六〇一であった。それが二〇一六年は大企業数は一九六一社。中小企業数は三八万五一七社である（『中小企業白書』二〇〇一年版及び二〇一九年版）。

大切なのは数ではなく「質」だが、バブル以降の長期停滞は、多くの弱い企業が市場から退出した日々でもあった。むろん、それは必ずしも経営の失敗や敗北の結果ばかりとはいえない。くりかえしになるが、後継者に恵まれなかった経営者が土地や設備を売り、取引先を同業他社に引き継ぎ「ハッピーリタイヤメント」した事例も無数にある。

ともあれ、企業数が二五年間で二分の一になった理由は競争の激化である。きちんとした経営管理ができない企業は淘汰されざるを得ない。電機メーカーの場合、一九九〇年代には各社ともに重電系、設備系を除き、「協力会」は消滅した。しかし新素材・新製品は次々と登場する。完成品メーカーから課題を引き出し、それに対応する技術を持った町工場との橋渡し役をする企業の登場は必然であった。

井上特殊鋼の、調査・アポイント→ヒアリング・提案→図面取得→製造方法検討→仕入先選択→価格決定・見積もり提出→受注→試作・評価→製造工程管理→検査→製品納入という「流れづくり」は、異なった企業との技術のマッチングを含め、「系列」や「協力会」とは別のものである。たとえば前述のように、部品メーカーが熱処理やメッキという後工程を必要とする時、リスクを含めて工程先を選定できる。

†取引先が三五〇〇社の福田刃物工業

さて、ここでもう一つ井上特殊鋼の取引先を紹介しよう。

それは福田刃物工業(株)(FUKUDA)である。社長は福田克則、資本金三〇〇〇万円。社員数は一二〇名。FUKUDAは「刃物」で名高い岐阜県関市にある一八九六(明治二九)年創業の「刃物」の会社である。創業者は刃物職人の福田吉蔵。福田克則社長の説明によると、現在のFUKUDAは「取引先は三五〇〇社。年間取扱い品目は一万を超えているが、基本は紙を切ること」にあるという。

創業者はポケットナイフの製造からスタートしたが、「紙」を断裁する「包丁」に注目し、まだ海外製品しかなかった時代に自らの工夫で「包丁」の開発に成功。断裁する「紙」は印刷される用紙など様々だが、そこには当然「紙幣」なども含まれる。それが工業用機械刃物の専業メーカーとしての礎を築いた。

同社が生産する工業用機械刃物は多岐にわたる。まず印刷・製本工程で必要な紙を取り揃えて断裁する「刃」。ペットボトルなどリサイクルものの粉砕用、ゴム・樹脂加工向け、鉄鋼加工用、また食品加工の工程で用いる様々なカッター。ハサミなど日用品、工作機械刃物や産業用機械の部品や治工具、そこにはプリント基板切断用刃物なども含まれる。あるいは変わったところでは、家屋の解体用「刃物」まで手がける。

このようにアイテムが多いのは、FUKUDAの基本が受注生産にあるからだ。依頼されたものは一点でもつくる。オリジナル製品もあるが近年は「新規の受注が繁忙でオリジナルな開発に手が回らない」のが悩みとのことだ。

以前開発した自社製品の一つは、自動車の塗装の際に生じる「塗料上の突起物」を除去する「クリアカッター」。これは塗装ラインで車体に付着した厚さ三〇マイクロメートル（一マイクロメートルは〇・〇〇一ミリメートル）ほどの突起物や塗装が垂れた部分を簡単に削り取る専用工具だ。塗装の工程でどこも困るのが「スケ」と「タレ」だ。スケは塗料が薄くて地肌が透けてしまい、タレは塗料が多すぎて垂れてしまうことである。板金加工業者向けにけっこうヒットしているが、後続商品の開発に取り組んでいる最中である。

この会社の強みは、このような課題に取り組むため、数百種類の材料の調達から、ろう付け、熱処理、切削、研削(けんさく)、歪(ひずみ)矯正、刃付け、などの全工程を社内で取り組んでいること。それゆえ、品質管理、納期、価格などの競争力が圧倒的だ。

従来の小さなティア2やティア3レベルの企業は、長い間「下請け」の立場で、数社との取引関係しかなかったので、「自社の実力」を自覚する機会がなかった。それゆえ、見積もりの基本となる「時間あたりのチャージ」を二五〇〇円とか三〇〇〇円といった見積もりにしてしまっていた。

前述のように減価償却した工作機械を使い、自宅を工場にしていて家賃もなく、電気、ガス、水道といった公共料金も自分の生活とごちゃ混ぜにした現実を基礎として「見積もる」ので、利益は限りなくゼロに近くなる。発注元はそのような「犠牲」を前提に利益を上げていたのである。

井上特殊鋼はこうした「過去の下請け」の実情を克服し技術の蓄積なども原価に含め、新しい価値づくりを実現した。それは新しい市場の形成である。

また、井上特殊鋼という「取引のプラットフォーマー」の登場は、小さな工場を世界に広げることに成功した。しかし、井上特殊鋼の営業のパソコンのデータは取引希望先に必要部分のみが開示され、それ以外はクローズされている。当然である。このプラットフォーマーはGAFAのようには巨大ではないが、プラットフォーマーだけが儲かるといったネットワークでもないのである。

このネットワークはこれまでになかった種類の「技術情報」のネットワークとして広がるだけではなく、それぞれのメーカーと協力して、技術情報の「交換のレベルを進化（深化）」させる可能性を持っている。

†「固有な情報」は「つながらない」

大切なのは、まず事実関係をはっきりと把握すること。次に「できること」と「できないこと」そして「可能性の範囲」を区別して知ることである。宣伝やプロパガンダの真贋を見分ける必要性はそこにある。そのことは「IoT」「AI」「インダストリー4・0」をめぐる騒動などに典型的に表れている。

ここで、ビジネスジャーナリズムで飛び交っている用語法について若干触れておこう。たとえば、「IoT」をはじめとする先述した用語が「技術革新」という従来の表現とどう異なるのかがよくわからない。そこにはメディアや論者の勝手な「見出し」があるだけのように思える。

たとえば、センサーの発達、画像認識の進化による画像処理領域の多様化と微細化、データの同時・大量処理と細分化およびその分析技術の発達、などはよくわかるが、それをいちいち「AI……」と言い換える必然性がよくわからない。

新聞などで「AIによる医療の発達」などと報道されたものに具体的に目を通してみると、スマートフォンのアプリを介して血圧や血糖値、食事の内容など日常のデータを医療機関と共有するサービスが始まった、というそれだけの話であったりする（『日本経済新聞』二〇一九年七月三〇日）。そんなデータは、かかりつけの病院と本人が知っていればよいのであって、じつに無駄なアプリの開発である。

むろん医療の現場に行けば、検査装置や治療装置など、医療機器の発達には目をみはるものがあり、たとえば、外科手術の現場は、工場の微細加工の現場とよく似ており、メスや鉗子を操りながら医療機器を駆使している。つまり外科医は熟練の技を持っている。

「情報」の大量処理、高速処理、微細処理・加工などの技術の発達は当然のことだが、新薬開発などを含め、「AIで……」と言えば何か新しいことを言っている気分になるのは無意味な混乱の原因でもある。いくら「IoT」と叫んでも、個人や法人の「固有な情報」は「つながらない」のである。


井上特殊鋼の企業情報の集積の仕方を見れば明らかなように、正確な基礎情報というものは、人力でレンガを積むように、膨大な人的エネルギーによって支えられるものである。また、その基礎情報の根拠となる個々の企業の「固有性」も、現場で聞き取り調査をしていると、そこでは気の遠くなるようなアナログなデータ蓄積の努力が行われている。

†「固有の情報」は「固有の努力」によって蓄積される

ひとつだけ例を挙げてみよう。

「中小企業のメッカ」といわれた東京・大田区から、広い敷地で工場の運営をしやすい新天地を横浜の郊外に求めて移転した(株)東京ダイス(藤井克政社長、従業員三二名、資本金二〇〇〇万円)は、あらゆる物質の中で最も硬いダイヤモンド工具でしか研磨できない、超硬素材である超硬合金の研磨加工で定評がある。その高い精密加工技術により流体制御機器、耐摩耗製品を扱い、大手自動車メーカーなどが自社で開発しにくいニッチかつ唯一無二のオンリーワン製品を提供している。

小型の塗装用スプレーやノズル、跳ねた石からボディー（特に床の外装）を守る樹脂を吹き付ける機器など、特殊で高水準の注文が舞い込む。そして一方で、工場の設備・機器の自動化（ロボット化）への対応力が抜きん出ており、ロボットをつくるロボットの重要部品なども手がける。

たとえば、ベアリングとシャフトの間の隙間は二〜三マイクロメートルだが、その内径加工を行うのは昔も今も「熟練の技」である。それを誰もが再現可能にすべくデジタル化し蓄積することで、長期的な競争力を保つ努力をする。

「地震・高熱などほんの僅かな環境の変化で生じる一〇ミクロン（マイクロメートル）、一五ミクロンの狂いを見逃さない。研磨機や切削機を操り、機器の目盛りに頼ることなく、研磨する音や削りかすの臭いで嗅ぎ分けて二〇ミクロン手前で止める……」――そのような職人技を、数千万円投資したデジタル機器に取り込むには、途方もなく「辛気くさい」作業が必要だ。たとえば、一センチ四方とか五ミリ四方の面積の超硬素材の表面に、どの程度の圧力で研磨機を押しつけ、何秒くらい研磨するかといった数値のデータ化が必要となる。

デジタル化の基礎とは、そのようなアナログなデータ化の努力の積み重ねによって支えられるのであって、それはあらかじめビッグデータに蓄積されているわけではない。

何度でも言っておくが、こうした「固有の情報」は「固有の努力」によって蓄積されるのであり、「IoT」なるものによって、誰でもが使えるような「便利」に「繫がる」ものではないし、標準化されたり共通化されるものでもない。

4 「インダストリー4・0」の嘘

†壮大なミスリード

ところが、国家的レベルでの、デジタル化による標準化、共通化の「壮大なアイデア（空想）」ともなると、その空想・夢想をからかっているだけでは済まなくなる。実害はとても大きいからだ。その代表が数年前まで喧伝された「インダストリー4・0」である。「インダストリー4・0」についてはすでに『一橋ビジネスレビュー』（二〇一七年冬号）に寄稿した光山・中沢論文で、ドイツではとっくに計画が最初から崩壊している事実を詳細に記しているので、ここではほんの僅かに関連部分に関してのみ触れることにする。

それは、ドイツの「計画」の発想そのものが「歴史経路」と密接に関わっているということである。しかし、日本では経産省と一部メディアによる組織的で大規模なミスリードが行われているのだ。

†「ハイテク戦略2020」の理想と現実

ドイツ発の「インダストリー4・0」は、もともとドイツで二〇一〇年に公表された「ハイテク戦略2020」プロジェクトのひとつであり、二〇一一年に提唱された「ドイツ製造業の競争力強化・空洞化防止のための構想」であった。

その構想の基本は「IoT」の活用によって国全体の技能技術を標準化、共通化するところにあった。それは、生産の効率性を追求し製造現場をスマート工場とすること、さらにそのスマート工場同士をネットワークでつなぎ、国全体をあたかも一つのスマート工場のようにするという構想だった。そうしたドイツのハイテク戦略の構想の中心となった、「ドイツ工学アカデミー」による通信プロトコルの標準化への四つの段階（スケジュール）は、以下のようなものであった。

まず、スタートの「レベル4」では、「製造装置・機器をつなぐための標準化」を実現し、次の段階の「レベル3」では「製造装置制御のためのPLC（プログラマブルロジックコントローラ）の標準化」に進む。そして「レベル2」では「製造ラインと工場間をつなぐ標準化」を成し遂げ、最後の「レベル1」では「原価管理や経営管理に必要なデータの標準化」を成し遂げるというプランであった。

この「アイデア」に対して、日本の経産省の一部は大々的に共鳴・加担し『通商白書』（二〇一六年、二〇一七年版）や『ものづくり白書』（二〇一六年、二〇一七年版）などを総員して、「日本も負けるな」とプロパガンダに邁進（まいしん）していた。

また、経産省の高官も『インダストリー4・0――ドイツ第4次産業革命が与えるインパクト』（岩本晃一、日刊工業新聞社、二〇一五年）という書籍を刊行するなど走り回っていた。むろん経産省の一部と組んで『日経ビジネス』などの週刊誌も大奮闘をしていた。しかし、構想から八年経って現実は最低限の「レベル4」すら実現していない。当たり前である。通信プロトコルを標準化・共通化ができないだけでなく、自社が開発した固有の技術を「公開」する会社などないからだ。

前述のように、工作機械メーカーは自社の固有の技術を公開したりはしない。それは日本もドイツも同様である。むろん「標準化」などされない。その理由は『一橋ビジネスレビュー』に記したのでここでは再論しないが、このプランは現場を知らない人間が考えたプランであり、最初から荒唐無稽（こうとうむけい）なものであった。

だが、「言論機関」というものは、ものづくりとは異なり、たとえそれが間違っていても、自分の主張の「製造物責任」を取るつもりも、「品質管理」をすることも、「消費者保護」という思想もない。つまり、「誤った言論」（宣伝）のリコールをしないのである。

ただ、『一橋ビジネスレビュー』に寄稿したあと、中沢の親しい経済学者が「インダストリー4・0というのは、いかにもドイツだね。F・A・ハイエクが『隷属への道』で指摘していた文章そのものだよ。ドイツの社会主義者はプロイセンの伝統をひいているね」と呵々大笑をしているのを聞き、大急ぎでハイエクを書棚の奥から引き出して開いてみた。『隷属への道』（西山千明訳、春秋社、二〇〇八年）の序章の脚注の（3）に次のような紹介がある。

> 単一の工場を運営するのと同様な原則にたって一国の全体の運営をすべきだという理念が一九世紀の社会主義を生み出す、ずっと以前に、ドイツの詩人ノーヴァーリスは「フリードリヒ・ヴィルヘルムの死以降におけるプロイセンほど、まるで一つの工場のように管理された国家は、他にはまったく存在しなかった」とすでに嘆いていた。

ハイエクはここで、「善意に燃えたオピニオンリーダーが全体主義への道を準備し、押し進める諸要因の基礎をつくった」と指摘しているが、この本は一九四〇年から四三年にかけて書かれ、社会主義やファシズムの本質をきわめて明瞭に解いたものである。繰り返しになるが、一国を単一の工場のように運営するという「理想」は、ドイツという国の「歴史経路」の結果そのものなのである。

しかし現実のドイツを見ると、「インダストリー4・0」といった空想（構想）は現場と無関係な知識人と役所のものであって、実際に働く人々の日常は日本とは異なった方法で（当然だが）差別化、非標準化、非共通化の世界を生きている。

そのようにして日本とドイツの製造セクターは、ともに信頼性の高い工業製品を世界に供給し、確固たる地位を築いてきた。両国は品質に強くこだわるという共通した価値を持ち合わせている一方で、その優位性が構築されるまでのアプローチや考え方には大きな差異が存在する。

	ドイツ	日本
中小企業の定義	従業員500人以下、かつ年間売上5000万ユーロ以下（総従業員の約4分の1が製造業部門）	製造業、建設業、運輸業は、従業員数300人以下、または資本金3億円以下
中小企業の数	約330万社	約360万社(個人事務所プラス会社数。ベースの製造業は約38万社)
全体に占める中小企業の割合	99.6%	99.7%

表2-1：ドイツと日本の中小企業の違い
出所：ドイツの定義とデータは、経済産業省編『通商白書2012』、日本の定義は、中小企業庁編、2019年版『中小企業白書』にそれぞれ基づく。

5 ドイツのものづくり

†ミッテルシュタントの特徴

ここで、日本の製造業の現実を考えるためにドイツのミッテルシュタント（以下、中小企業と同義として扱う）の動向を見ることにする。光山は、ドイツ・バイエルン州のミュンヘン商工会議所を中心に、ミッテルシュタントとドイツの技術を語る上で欠かすことのできないマイスター制度の現在の状況を調査した。

以下では、中小製造業に軸足を置きながら考察を進めていく。ただし、これはあくまで日本との比較であって、「ドイツでは……」といったいわゆる「出羽守」ではない。

表2-1は、ドイツの中小企業の規模が日本の中小企

業と異なる点を比較したものであるが、比較をすすめるうち見えてきたことは、ドイツの中小メーカーの黒字化率がほぼ一〇〇%であり、きわめて高い競争力を発揮しているということである。

また、日本の中小メーカーの多くが、どちらかといえばセットメーカー(完成品のメーカー)やティア1メーカーなどとの従属的な取引関係の下で技術的、組織的成長を遂げてきたのに対し、ドイツメーカーの多くは、取引関係にある顧客企業と、あくまで対等かつ水平的な協力関係のなかで技術力を醸成させ成長してきた点に相違が見られる。

一方、ミッテルシュタントのものづくり観は、日本のそれと非常に近い思想を有している。たとえばそれは、製造工程において現場現物志向が強く、常に現場を中心に改善しようとする意識や不断の試行錯誤を重要視する姿勢などに表れている。

市場が成熟する近年においても、技術革新を続け高付加価値を維持するなど、ミッテルシュタントの世界的競争優位性こそが好調なドイツ経済を牽引する源泉であることは、過去一〇年間で一〇〇万人以上の雇用を創出した実績からもうかがい知ることができる。このミッテルシュタントの特徴は、おおよそ以下の四点に集約することができる。

①九五%以上が同族経営である(二〇一〇年データ)。

②海外志向が強く（もともとヨーロッパ全体、そして米国を対象としている）、かつ同業以外にはほとんど知られていない。
③大都市に集中せず、地方に拠点を構えている。
④総資本利益率（ＲＯＡ）が高い。

ミッテルシュタントは、古くからマイスター制度と密接な関係を有するなど、徒弟制度の関係上、地元との結びつきが強い。従業員が自社に抱くロイヤルティー（忠誠心）が並外れていることは、ミッテルシュタントの平均離職率が二％前後であることからもわかる。

また、ドイツのミッテルシュタントの多くに、「隠れたチャンピオン企業」が存在することはよく知られている。なお、ドイツの経営思想家・実業家であるハーマン・サイモンによれば、隠れたチャンピオン企業の定義は次のとおりである（Simon, 2009）。

・世界市場で三位以内か大陸内で一位
・売上高が四〇億米ドル以下
・世間からの注目度が低い

全世界の隠れたチャンピオン企業総数はおよそ三〇〇〇社前後だといわれる中で、実にその半数程度がドイツのミッテルシュタントであり、圧倒的なプレゼンスを誇っている(Simon, 2012)。

しかしながら、近年、都市部で若者が身近にマイスターと接する機会が減少し、その魅力が十分に理解されていないために若者の製造業離れは深刻化している。

その背景として、「ミッテルシュタント＝中小企業＝不安定な生活」といったイメージが若者の間で定着しつつあることが挙げられる。このため、ミッテルシュタントおよびマイスター組合は、ドイツのものづくり産業の優位性や企業イメージの向上といった積極的な啓蒙活動を展開するなどして、将来のドイツのものづくりを背負って立つ若く優秀な人材確保に向けた懸命なプロモーションを行っている。

†ミッテルシュタントの根幹をなすマイスター制度

日本と異なった技術・技能の育て方としてのドイツ・マイスター制度は、ミッテルシュタントの中心をなす。マイスター資格の難易度やその社会的地位は高く、いったん資格を取得すると、国内はもとよりEU域内においても十分生計を立てることが可能なほどの価値ある資格といわれている。

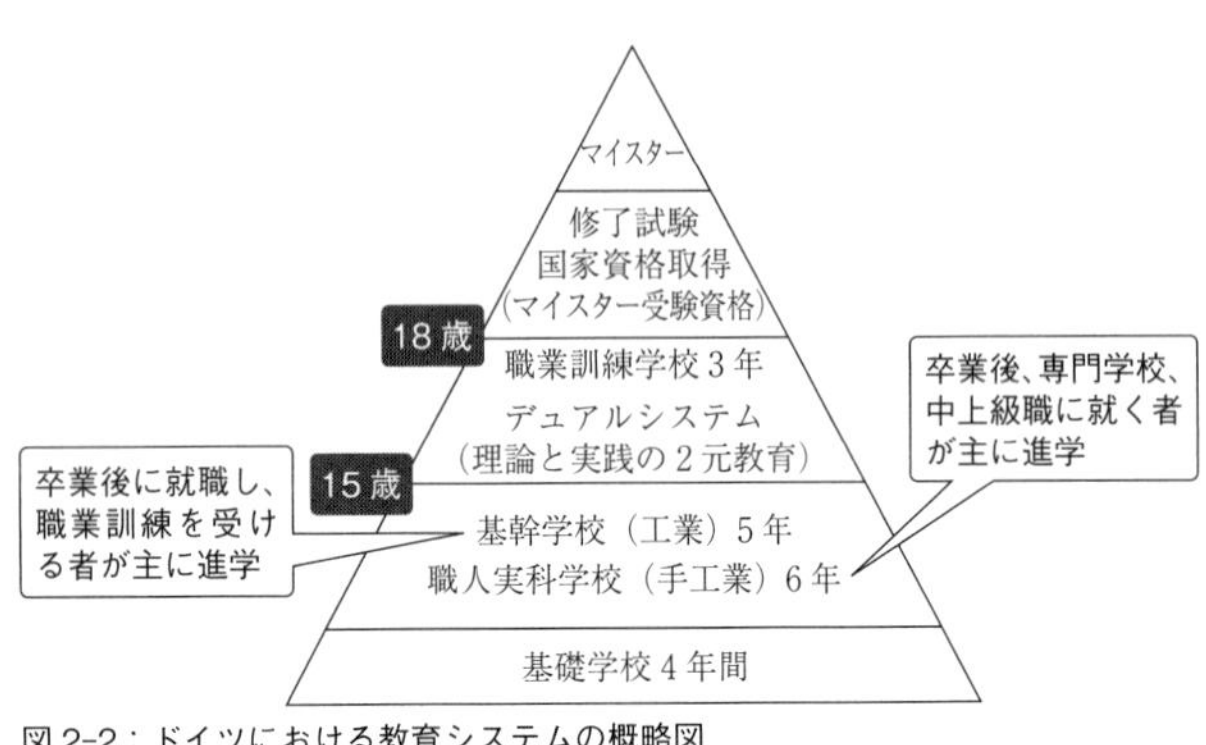

図2-2:ドイツにおける教育システムの概略図
出所:光山による聞き取り調査に基づく。

一方で、ドイツの教育システムでは、小学四年生修了時に進路を決定する必要がある。本人、保護者、教員を交え三者で進路を決めるのが一般的だが、近年では成績の良い生徒の多くが大学進学を選択し、成績下位の生徒が職業訓練を受ける傾向が目立っている。また、九歳、一〇歳といった年齢で人生の選択をさせることの是非も深刻な議論となっている。

図2-2は、ドイツにおける教育システムの概略図である。

数あるマイスター資格制度ではあるが、ここでは手工業マイスターと工業マイスターに注目して論を進めたい。表2-2は、手工業マイスターと工業マイスターに課される試験科目を比較したものである。

手工業マイスターの資格取得においては、通常は三年間、職業訓練学校にて教育を受け、修了試験に合格し、職人として経験を積んだ者が対象となる。

手工業マイスター	工業マイスター
実技試験（自作品の提出）	実技試験（作品の提出は免除）
各自の専門分野の理論に関する試験	各自の専門分野の理論に関する試験
経済・法律に関する試験（簿記、商法など）	起業を目的としないことから免除
職業教育学（コーチング）に関する試験	職業教育学（コーチング）に関する試験

表2-2：マイスター資格試験の科目
出所：光山による聞き取り調査に基づく。

マイスター試験は、表2－2に示したように全部で四つの試験科目から構成される。各試験科目はいずれも個々の分野に即した内容になるが、工業マイスターにおいては課題作品の提出の必要がないことに加え、基本的に資格取得後すぐに起業することを想定していないことから、簿記や商法といった類の試験は免除されている。

なお、ドイツ手工業組合提供の二〇一七年データによれば、全マイスターの約四〇％が資格取得からわずか四年で独立開業していることが明らかになっている。

独立しているマイスターの職種ごとの統計データまでは入手できなかったものの、その内実はおおよそ、配管工、大工、内装業といった比較的独立開業しやすい分野のマイスターによる起業が目立っており、この点は日本の各種の公的な職業専門学校と似ているといえるだろう。

しかし大きく異なる点もある。それは、手工業、工業のいずれのマイスターも単にモノがつくれるだけでないということだ。

伝える能力のない職人はどれだけ優れたものをつくることができてもマイスターにはなれないのである。

このように厳格な徒弟への教育を中心とした後進育成を重要視している点は、我が国のそれとは若干異なっているかもしれない。詳細は第五章に譲るが、我が国においては今後、エンジニアの多くがこれまで身につけてきた暗黙知的技能をしっかりと形式知化するなどして、技能の伝承ともっと真剣に向き合う必要がありそうだ。

†変化するマイスター制度

近年ドイツでも、EU加盟国との関係やICT（情報通信技術）革新による価値の多様性などへの対応が求められる中、約八〇〇年間続いてきたマイスター制度にも変化を求める動きが活発化している。

たとえば、ボーダーフリーとなったEU域内においては、自国以外で起業することも珍しくなくなっており、ドイツ人以外のEUの人々がドイツで起業しようとした場合、マイスター制度という参入障壁が起業の足かせになっている。ドイツ人以外の人々の視点から現行のマイスター制度を見ると、資格至上主義的でかつ職業人意識が強く、伝統を過度に重んじる硬直的なシステムと見られることも少なくない。

ドイツ政府はこうした懸念を払拭するために、起業家支援をアピールすることに加え、ドイツ国内における雇用創出の名の下、二〇〇四年には全九四職種あるマイスター資格のうち、五三業種についてはマイスター資格がなくてもドイツ国内で起業できる現行のマイスター制度導入に踏み切っている。

しかし、こうした規制緩和による雇用創出推進を目指したものの、その効果は限定的な水準にとどまっている。たとえば、企業数は幾分増加したものの、その実態を見てみると個人事業主が多く、実質的な雇用者数の増加にはそれほど貢献していないことが明らかとなっている。

一方でマイスター側は、伝統的技術力低下への懸念を理由に、これまでも規制緩和には一貫して反対してきた。しかし、長い歴史の中で育まれてきたマイスター制度ではあるものの、社会変革のうねりやテクノロジーの進歩を顧みないという姿勢を続けることが難しい時代に差し掛かっていることもまた事実であろう。

だからといってマイスターは日本の現場と同様に、すぐに「AI」だ、「インダストリー4・0」だ、という呼びかけに積極的に乗ろうという態度は示していない。なぜなら彼らは基本的に汎用品や大量生産市場に関心が薄く、独自のデザイン性や品質レベルをいかに市場の評価や付加価値につなげていくか、といった意識の違いが存在しているからである。

彼らはもともと一専門メーカーとして自立（自律）し、強い売り手として顧客企業の論理に屈しない取引関係を構築し競争力を発揮してきた。また、各企業が競争力の源泉としている固有技術においては我が国同様ドイツでも、独自技術の多くが現場現物の試行錯誤の反復から創出されるという点では同じである。

したがって、持続的競争優位を担保する技能は、現場において自ら考え、額に汗し、能動的な試行錯誤を積み重ねることでしか培うことができないということは、日本を含め、ミクロ組織論にも通じる共通した真理といえるかもしれない。

†自社にとっての「ベスト・プラクティス」とは何か

どのような国でも実際の現場には、それぞれの産業や業界構造に起因する問題、課題ごとに異なるソリューションが存在する。大切なことは、自社にとっての「ベスト・プラクティス」という考え方からブレないことである。なぜなら企業が競争力を高めるのに不可欠な強みの源泉は、それぞれの企業が異なる環境変化への対応の中で創発、発展させてきた固有のものだからである。

言い換えれば、長く生き抜いてきた企業は、それぞれの歴史経路に依拠した独自技術を様々な困難のなかで創発し、競争力を育んできたのであり、国や産業ごとに標準化された手法で企業の競争力の維持、向上を実現するのは机上の空論なのである。

さらに言えば、グローバル・サプライチェーンが示唆するように、ものづくり産業におけるボーダーレス化によって部品などの中間財のモジュール化が進展するという認識が進んでいる一方で、「インドにはインドの」、「タイにはタイの」最適なものづくり手法や考え方が存在する。

以降の章で詳述するが、こうした歴史経路に依拠したそれぞれの国の特徴を無視したり、あるいはそれをないものとしてすべてを標準化しようとすることに可能性はない。つまり、「企業が生き残る」とは古典的な言い方としての「他社との差別化」をいかに実現するかであり、差別化できない場合はいずれ市場から退出することになるのである。

第三章

競争優位の分水嶺

——日本のものづくりの強みとは

1　現場志向のものづくり思想

†日本のものづくりの強みとは

近年のICTの進歩や急速なグローバリゼーションの影響により、市場のボーダーレス化が進んでいることに加え、GAFAに代表されるプラットフォームをベースとしたこれまでにないビジネスモデルが次々と誕生し、過去の延長線上でビジネスシーンを捉えることはもはや困難になっている。

だが、前章の最後でも述べたように、競争力を発揮していくために重要なのは固有性である。こうした点を踏まえ、我が国の製造業における強みの源泉を一言で表現するなら、「品質を工程内でつくり込む独自のプロセス・イノベーション力」にある。

特に、現場現物志向の下で発展した生産（製品・製造）技術は、「工程間の良い流れ」を念頭に、①生産性、②生産リードタイム、③開発リードタイム、④開発工数、⑤不良率、⑥設計品質、といった「深層の競争力」の存在によって長らく競争優位をもたらしてきたことは、前出の藤本をはじめ多くの研究者が再三指摘してきた通りである。

つまり、「深層の競争力」を一層向上させ、「工程間の良い流れ」をさらに精緻化させていくためには、アッセンブリ（組み立て）を担当するセットメーカーの改善努力だけでは不十分であり、部材を供給するサプライヤ側（部品メーカーに加え熱処理やメッキなどの二次加工業者も含む）においても同様の技術的、組織的能力をセットメーカーと連携しながら発揮していくことが求められる。

このような考えに基づくと、日本企業全体の九九・七％を占める中小企業も例外なく、グローバル・バリュー・チェーンを活用した一層の生産性向上および多様化する市場に迅速に適応できる組織変革の必要性が求められるといえよう。

本章では、次章以降でドイツやアメリカと異なる日本のものづくり産業の本質をより深く理解するための準備作業として、知られているようで意外と知られていない日本の中間財メーカー（以下では、中小企業基本法第二条が定める、資本金三億円以下または常時雇用従業員数三〇〇人以下のいずれかを満たしている中小メーカーを扱う。部品メーカーと表記）の足跡をたどりながら、日本のものづくりについて俯瞰（ふかん）的な視点から考察を行う。

†旺盛な起業家精神

現在、日本で操業を続けている部品メーカーの多くは、一九三〇～六〇年前後に産声（うぶごえ）を上げた。

中小企業問題、中小企業政策分野で多大なる業績を残した佐藤芳雄(さとうよしお)（元慶應義塾大学教授）は当時の状況について、我が国のサプライヤの集積は、高度経済成長期下で拡大する生産需要に直面したセットメーカーが部品メーカーに対し、技術指導を含む系列化の流れの中で「資本投資節約」、「低賃金間接利用」、「リスク回避・景気調整弁」といった弾力的対応をとる中で厚みを増していった、と説明している（佐藤一九八六）。

しかし、筆者たちが事後的に一九五〇～六〇年代に起業した経営者たちに聞き取りを行ってきた中で注目したのは、金型工や切削工あるいはプレス工、塗装工といった様々な技能工の必要性が生じることによる起業家精神の旺盛さであった。

そのことは、集団就職列車による地方から都市への労働力の流入など、大手メーカーの労働力不足を補う産業構造のまさに隙間を埋めるべく誕生し、大手メーカーとの賃金格差や均衡を欠く取引条件の下でもＱＣＤ（品質・費用・納期）の精緻化を成長の足掛かりとして積極的に不均衡を受け入れ、逞(たくま)しく発展してきた点からもうかがい知れる。

また、創業間もないこれらのメーカーは、家族経営や自宅兼工場で操業することが一般的であったことや、従業員の構成メンバーの多くが家族や親族で固められていたことから、比較的低賃金、長時間労働が受け入れられやすく、これが低コスト生産を可能にしたのと同時に、土壇場で無理の利く体制を築き上げてきたともいえるだろう。

これらの企業では創業当初、初歩的な設備や工程でも生産できる比較的簡単な部品生産を担当することが多かった反面、この時期の試行錯誤の繰り返しの中で培われた基盤技術は、その後の技術革新へとつながる創造性を育んでいった。

以下では、日本のものづくりが踏襲してきた伝統的な現場現物志向のものづくり思想が一体どのような背景の下で構築され、なぜそうした特徴が消えることなく今日までもたらされ、競争力の源泉となってきたのかについて、江戸時代末期から戦中、戦後に至る激動の時代にフォーカスし考察を進める。それは前述したドイツのマイスター制度とは異なったものであった。

†「職人」から「職工」への変容

明治初期に見られた「職人」から「職工」への変容は実に多くのことを示唆している。以下では、渋沢栄一(しぶさわえいいち)を曾祖父に持つ、我が国の労働経済学の権威である尾高煌之助(おだかこうのすけ)(一橋大学名誉教授)の技術発展への見解をもとに、日本の製造業に現場現物志向がどのように定着してきたのかについて理解を深める。それに先立ち、熟練エンジニアにおける「熟練」の定義について触れておきたい。

尾高が著した『【新版】職人の世界・工場の世界』（NTT出版、二〇〇〇年）は、「職人」と「職工」の違いについては産業や時代によっても異なると前置きしながらも、職人を「資本設備を駆使して速く、しかも無駄なく生産する技能を身に付けた人々」と定義し、また、「職人」の条件として次の四つを挙げている。

①生産設備（冶工具を含む）が私有されている。
②技能の高低が出来栄えによって客観視できる。
③職人には生産技術が体化して蓄えられ、技能取得には徒弟制度に見られる数年間の修行を要する。
④本人に大幅な自主裁量権がある。

さらに、職人は職務の全過程に精通しその職業能力は自己完結的である上に、常時、他人に雇用されて働く単なる賃労働者ではない点が職工との決定的な違いであるとして、表3－1のように定義している。

職人の世界ではもっぱら徒弟制度の下、それぞれの弟子は同じ師匠について職務に従事する一方、一人ひとりが独立した職人として作業に取り組むのに対し、職工は自己流の技

	職人	職工
技	ほぼすべて体系化、定型化不可	分業による協業、相互補完的
仕事観	「仕事のための仕事」 献身の道徳あり	作業の付与、受動的
技能習得	「見様見まね」「技を盗み取る」	一般化した座学、OJT

表3-1：職人と職工の特徴的分類
出所：尾高煌之助（1988）を参考に筆者作成。

能を確立することはなく、標準化された工程に従って作業を行う。このことから、同じ製品をつくる場合でもアプローチの決定的な違いが質を異にするほど「生産哲学」には端的な違いが表れるとしている。

明治以降、我が国では繊維産業や造船産業の近代化が加速し、大量生産向けの大規模工場が普及するなど、それまで現場裁量範囲の広かった職人の活動範囲は次第に狭まったものの、依然、徒弟制度による技術伝承は基本的に続けられた。同時に、明治の終わりから大正にかけて近代化の加速が大量生産への需要を一気に進展させたことや、親方を中心とする「渡り職人（ジョブホッピング）」の出現が多くの工場を悩ませたものの、これが技能の内製化を進展させる要因にもなったのである。

†「定着する職人」への需要の高まり

日本の場合、尾高が指摘するように、親方からの徒弟制による技能の伝承と同時に、企業においては長期的な開発計画などの必要性から「渡り職人」ではなく「定着する職人」への需要が高まり、紡織、造船、電気など各種の工場は競って企業内に「学校（講習所）」を設けるようになった。一〇〇〇人を超えるような工場にはほぼ必ずといっていいほど、企業内に一般教養を含む授業で構成された学校を設置し、社員教育に取り組んだ。それは中卒労働者が中心であった一九五〇年代まで続く習慣であった。

それは民業だけではなく、官業においても同様である。海軍工廠などの職工訓練はもとより、たとえば鉄道講習所、逓信講習所といった機関も高等小学校を卒業した若者（一四歳以上）を選抜し、給与を支払って教育する場所でもあったため、多くの優れた若者が育ち、長期雇用の基盤を形成した。

つまり、マイスター制度と異なる点は、日本は意識的に「企業内での育成」を基本としたということである。ただ、高校進学率、続いて大学進学率が飛躍的に高まっていった一九六〇年代に入ってからは、企業内学校は次第に姿を消し、現在ではトヨタとデンソーなどにその伝統が残るのみである。

だが、そのような教育の伝統と結果は、企業ごとのオリジナルな「技能・技術教育」の体系をつくり、企業内からスピンアウトする職人は「最も信頼の置ける技術をもった下請け」と位置づけられるようになった。それは「日本的な技能・技術」の伝統と育成ともいえるものだ。

　このように、特に明治時代のパラダイムの大転換期において、職人が織りなすかつての「生産的労働」から、「魂」を失った「賃金労働」への変容が加速した経緯と、第五章で議論する「現場現物志向」と「V・E（バーチャル・エンジニアリング）志向」との間で顕在化するものづくり思想の相違は、従来の先進国主導の市場経済からグローバルな地産地消型市場への移行という時代の転換期で表面化していることときわめて適合的な事例といえるだろう。

2　技術立国への歩み

†自動車産業と鉄道産業の変遷

　日本のものづくり技術が飛躍的に向上した背景を語る際に無視できないのが、自動車産業と鉄道産業であろう。その変遷を辿（たど）るとおおよそ一九世紀にまでさかのぼる。

　自らも技術者として現場に従事した経験を持つ技術史学者の中岡哲郎（なかおかてつろう）が著した『自動車が走った——技術と日本人』（朝日選書、一九九九年）によれば、我が国の自動車産業の出発点は大正期にまでさかのぼると指摘する。

当初は、フランスやイギリスなどから自動車を購入し、そのメカニズムや動力性能を徹底的に研究するR&D（研究開発）スタイルが踏襲され、第一次世界大戦後には政府と帝国陸軍主導で数種類の軍用トラックの生産が開始されている。

この頃の自動車用鋳物産業の技術力といえば、自動車の内燃機関の部品の一部であるシリンダブロックを二〇個生産しても検査に合格するのはせいぜい三個程度であったことや、これらを搭載した自動車の多くは想像を超えるほど故障の連続であったことが、同書には克明に記されている。

しかし、関東大震災によって鉄道網が寸断されたことを受け、物資の輸送がもっぱら自動車へと移行したことで市場ニーズが急速に高まり、後の大量生産システムの構築を促した。

ここから、後発工業国が技術的発展を遂げる上で避けて通れない普遍的課題克服への挑戦が始まることになる。なお、我が国の自動車産業における先人たちの血と汗と涙の裏側をお知りになりたい方は、「LEADERS リーダーズ」（TBS、二〇一四年）というテレビドラマに凝縮されているので、そちらの視聴をお勧めしたい。

他方、鉄道分野でも、ドイツ、イギリス、アメリカなどの欧米諸国からそれぞれ代表的なモデルの機関車を購入し、リバース・エンジニアリングによる徹底的な技術研究が行われていた。近代化の流れの中で実データを蓄積、分析したことが、国産鉄道車両のプロトタイプの設計、開発、試作、量産を短期間のうちに実現していく要因となった。こうした研究開発の手順は、第二次世界大戦が終わるころまで日本的研究開発の基礎として採用され、一連の手法の下で工業製品の国産化を進展させていったのである。

技術史学者である前田裕子(まえだひろこ)も同様に、外国製生産機械を起点とした一連のリバース・エンジニアリングは、戦中戦後から始まったものではなく、江戸後期から明治初期にはすでに欧米技術のデッドコピーから脱却し、独自技術の確立による国産化へのこだわりをみせるクラフトマンシップの存在が確認できるとしている(前田一九九八)。模倣のレベルにとどまることなく本家を凌ぐクオリティのものをゼロからつくるという意気込みでものづくりに携わり積み重ねてきたことが、世界的に異質なものづくり哲学を我が国にもたらした要因になったと考えられる。

つまり、こうしたものづくり全般における考え方は、日本の歴史経路そのものであるともいえよう。

†「高品質で大量生産」という課題

戦後間もない一九五〇年代中盤から急速に経済発展を遂げる中で、今度は高品質製品の量産化への挑戦が始まった。既存の製造方法や生産設備ではこれへの対応が難しかったこともあり、この頃から多くの企業経営者は次第に高性能な工作機械や最新設備の導入を検討し始めるようになっていく。

しかし、ヘッダーやフォーマーと呼ばれる設備投資は、当時の価格で一台あたりおよそ五〇〇万円前後にものぼり（一九五八年の大卒初任給は一万六〇〇〇円前後）、経営者の頭を悩ます問題となっていた。

高品質を維持しながら大量生産を実現するという難しいミッションをクリアするためには、技術的にどうしても欧米製の設備に頼らざるを得ず、最終的には多くの企業が段階的にではあっても設備投資に踏み切ることを余儀なくされたのだった。

しかし、こうした難しいミッションの突破口となったのが、やはりここでもリバース・エンジニアリングであった。開始当初こそ、技術のデッドコピーから出発したものの、多くのメーカーが欧米メーカーをも上回る自社製オリジナルマシンの実用化を視野に研鑽（けんさん）を積んだ結果、次第に設備や製造装置への造詣（ぞうけい）を深め、その後実際に質の高い製品の量産化をやってのけたのである。しかしそこにも、先人たちの並々ならぬ血と汗と涙なくして語れない物語が無数に存在する。

当時の日本製の生産機械や設備はどうしても、ドイツなどの欧米製と比べ格段に精度が低かったことから、マシン性能をカバーすべく制御技術に心血を注いできたことがかえって要素技術への造詣を深化させるという「怪我の功名」を生み、一九五〇年代半ばから始まる高度経済成長期下の市場で求められた、「高品質・低価格」という通常では実現の可能性がきわめて低いトレードオフをも克服するほどの創意工夫定着の礎となった。

一九九三年に中沢も、『週刊東洋経済』誌上で、牧野フライスと旧日立精機をリタイアした技術者から、一九六〇年代の初期から一〇年ほど、アメリカ、ドイツの機械をリバース・エンジニアリングして機能向上に励んだ経過を聞き取った経験を持つ。こうした苦労の積み重ねの中で獲得した生産財そのものへの深い造詣ははじめから意図したものでないにせよ、その後の長期的な差別化をもたらす技術的、組織的希少性と模倣困難性をもたらす原動力となった。

こうした経路依存ともいえる我が国のものづくりの歴史的変遷を理解できれば、日本の町工場がいとも簡単に一〇〇〇万円台で工作機械を作ってしまうことにもうなずけるであろう。そしてそのことが、現在急速に発展するＡＳＥＡＮ諸国のメーカーの成長過程と大きく異なっている点は、第四章以降の議論にも深く関係することから注目に値する出来事であったといえるかもしれない。

†「よいものづくり」という思想の原点

時間は流れ、高度経済成長期も中盤（一九六〇年代）に差し掛かると、前述したように、若く独立志向の強い従業員によるスピンアウトや、親元で修行した兄弟、従兄弟がサイズや用途の異なる関連部品を相互に生産するなどして、取引関係を構築しながら企業規模を徐々に拡大させる企業も散見されるようになった。中小企業研究を専門とする経営学者の清成忠男（元法政大学総長）が著した『日本中小企業の構造変動』（新評論、一九七〇年）によれば、この時期の起業家の多くは、自分の腕前（技術）を試してみたいという上昇志向が強く、現場エンジニア兼経営者として独立することが多かった。

第一章で紹介した北川精機も、ビルや橋梁建築のクレーンのメーカーである北川鉄工所の兄弟関係からスタートした起業であった。また、各企業も積極的に協力メーカー（下請け）を育てた。こうした中で日本の特徴的な系列に見られる取引慣行が定着したこともあり、理論的経営手法を実践するよりも、「よいものづくり（QCDの精緻化）が経営の安定につながる」という技術プッシュ志向の経営を実践する傾向が次第に強まっていった。

こうしたものづくり思想は、創業から五〇年以上経過した多くのメーカーで今なお、現場エンジニア間で根強い思想として受け継がれている。

このような我が国固有のものづくり思想は、高度経済成長期で求められた「高品質」、「低価格」というトレードオフの克服を可能にする独自のマインドを育てた。同時に、高度経済成長期や安定成長期はそれでもよかったともいえるのかもしれない。

3　よいものをつくれば売れるのか

†部品メーカーのイメージ

ここまで、日本の将来的なものづくりに先鞭をつけるべく、我が国のメーカー全般がどのような歴史的背景の下で強みである技術を創出し、発展させてきたのかについて考察した。

ここからは、ものづくりにおける分業体制がますます進展する現在において、経営資源に制約を持つ日本の中小メーカーに着目しながら、日本のものづくり産業における問題点や懸念材料について、現場の事実に基づき詳細に分析を進めていきたい。

日本のものづくりの流れの中で、セットメーカーとつながるティア1、その次のティア2、ティア3といった位置にある我が国の中小中堅規模の中間財メーカーの多くは、次のような認識下にある。

彼らはこれまで、日本独自の取引構造上、セットメーカーを頂点とするピラミッド形の統合型ものづくりシステムの下方に位置していたことから、「デザイン・イン」と呼ばれる川上の設計段階から共同で開発に参画するよりもむしろ、おおよそのスペックが決定した後に、未だ埋まっていない最後のパズルのピースを埋めるがごとく引き合い（受注）を「頂戴（ちょうだい）する」といったニュアンスで仕事を請け負う傾向が強かったといえる。それは、ビジネスの重要な部分である「営業活動」という手間ひまを省く取引でもあった。

それゆえ、部品メーカーの引き合いの多くはセットメーカーやティア上位のメーカーからの低価格圧力を受けやすく、これが収益を圧迫する要因にもなってきた。さらに長期取引は、長い時間軸の中で取引先からの一定程度のコストダウンが要求されることが暗黙の内に織り込まれている。

こうした背景から「部品メーカー＝儲けが少なく常に代替の効く弱い存在」というイメージが定着し、二一世紀に入った今もなお、日本ではそのようなイメージを持つ人は少なくない。それはかつての中小企業研究の結果でもあり、「中小企業対策」という政治活動の結果でもあった。しかし、現実は必ずしもそれだけではない。

考察する対象企業

一口に部品メーカーといっても、扱う製品や業界、さらに技術の種類や部品のサイズによってその性質は大きく異なり、すべての部品メーカーに適合可能な自律的、持続的経営の安定性について考察を行うことは容易ではない。

そこで、本章以降で考察していく対象企業を、微小自動車部品やハイテク電子部品を主に扱う中小部品メーカーを想定しながら論を進めていきたい。

なぜなら、製品生産に用いる要素技術は多岐にわたり、家電や通信機器に組み込まれる技術と同様、これらの部品を扱うメーカーは高品質を維持しながら量産する技術を持っているからだ。また、部品点数の多さや製品ライフサイクルが比較的短いという類似性を鑑みると、これらの部品メーカーが有する研究開発力や製造技術、さらに品質管理能力といった競争優位の源泉がどのようなものであるかを理解することは有益であるし、中小部品メーカーに内在するこれらのケイパビリティ（能力）がグローバル競争にも耐えうるものか否かを明らかにすることができれば、多くのメーカーにとっても貴重な示唆を提供することが期待できるからである。

†グローバル化の中の部品メーカーの実態

すでに第一章でダイニチや福田刃物という事例を紹介したが、中小部品メーカーと聞いて多くの読者は、「油で汚れた作業服」や「機械音鳴り響く製造現場」を連想するのではないだろうか。実際に、こうした昔ながらの町工場風のたたずまいを残している企業も未だ数多く存在しているのも事実であろう。

一方で、そうした印象とは異なり、その実態は実に様々であることを説明せねばならない。一見アナログなイメージが強く、時代遅れにも見えるこれらのメーカーの多くが今なお、たくましく生き残っている背景にはどんな論理や秘密が隠されているのだろうか。

というのも、現代は同じ企業であっても国内外あるいは業界や扱う製品ごとに企業の役割が流動的に変化し、直線的、単眼的にその全容を捉えることが難しいからである。図3-1は、国内で製品Aを手掛けるティア2（二次協力メーカー）が、海外拠点では、製品Bやその周辺の複数の部品を組み合わせてユニット部品を生産、供給するといった具合に、ティア1（一次協力メーカー）の役割も同時に果たしていることを示している。

たとえば、国内では主にバイクのハンドル部分（鉄パイプをハンドルの形状に成型するまで）を生産しているパイプメーカーがあったとしよう。このメーカーの海外拠点では、専

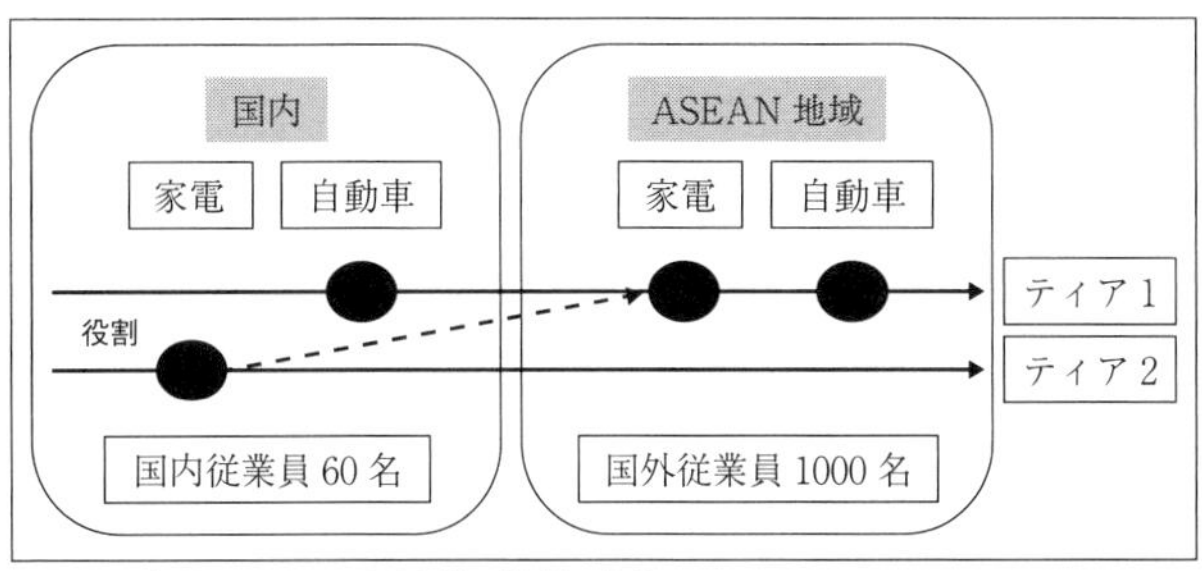

図3-1：部品メーカーの国内外の役割の変化

業工程に加え後工程にあたるメッキや塗装を行い、各装備品を装着する工程を請け負うといった具合に自社の専業工程を超え、ティア1メーカーに必要な設備やオペレーション能力をも兼ね備えている。このような取引関係を成立させている事例は枚挙に暇がない。

さらに、国内従業員五〇～六〇名の典型的な町工場の風貌の企業であっても、ASEAN地域などで操業する現地の工場には、一〇〇〇名を超える従業員を抱え、本社工場の数倍規模の生産能力を有する事例も少なくない。

つまり、こうした企業は、現地の法律や習慣、さらに就業観の異なる外国人従業員と共に力を合わせ、外国でオペレーションを遂行できるだけのノウハウを蓄積し、質の高い経営管理能力を有していることになる。また、ISO（国際標準化機構）やRoHS指令といった国際認証および環境保全面の国際基準にもコミットしたオペレーション能力を保有するなど、国内の様相からは想像するのが難しいほどの大企業顔負けの面をも持ち合わせていることになる。

これらの企業は、二重構造論（一国の中に近代的大企業と前近代的な中小零細企業が存在し、そこには設備や賃金格差があるという考え）に見られた「常に代替の利く弱い存在」というイメージから完全に脱却しているとは言い難いが、一方で、従来の自動車産業に見られたセットメーカーとの従属関係からは距離を置き、自社の専業工程（要素技術）以外の前後工程への対応や新たな技術獲得にも積極的かつ貪欲であり、特に海外で操業しているセットメーカーにとっては頼もしい存在となっている。

国内外の従業員数が逆転し、海外拠点に本社機能以上のリソースを有している企業ももはや珍しくないことから、我が国の部品メーカーの多くは、多額の資本収入を得ている隠れた優良企業の側面を多分に併せ持っていることも重ねて理解しておく必要がある。

†部品メーカーが直面する課題

しかし、長い間定着してきた既存の概念を変えるのは容易なことではない。以下は、かつての旧来型の部品メーカーがどのような産業構造的特徴を有しているのかについてまとめたものである。その特徴は以下の三点である。

（1）カスタム部品供給を専業とするB to Bメーカーが多く、受注生産ベースゆえに生

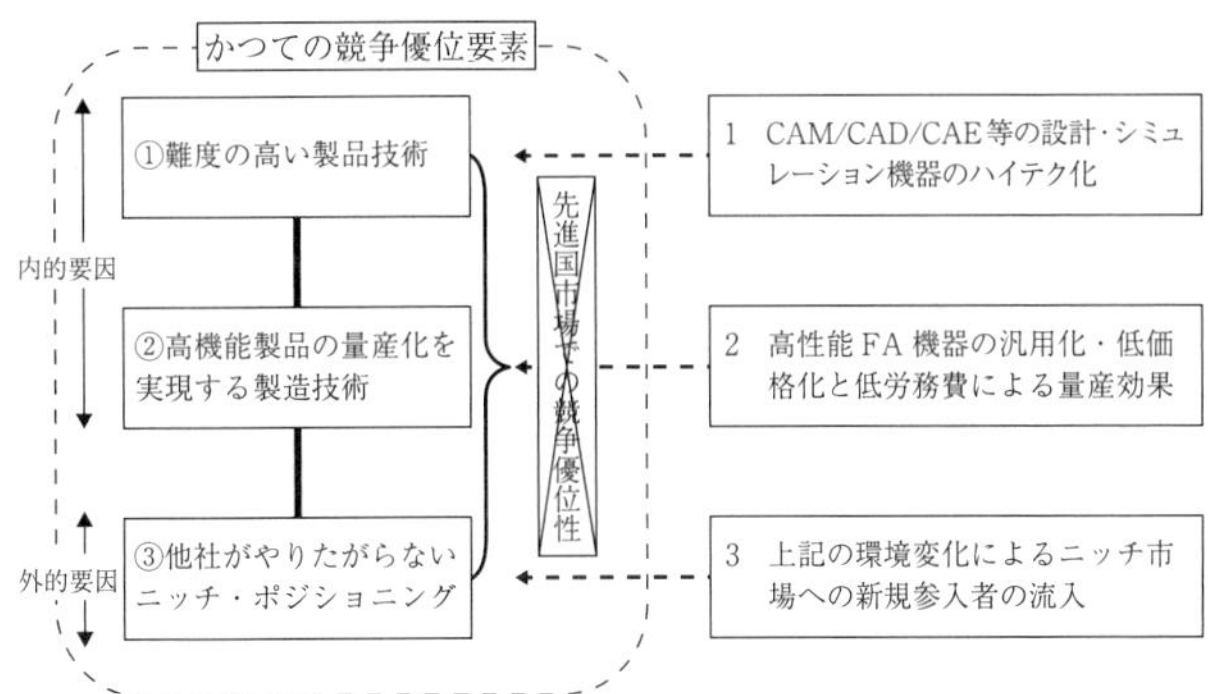

図3-2：既存の強みとグローバル競争下で直面する課題

産計画に基づく生産活動および戦略経営の実践が困難である。

（2）顧客依存的取引関係が長期にわたり踏襲され、「仕事はもらうもの」といった消極姿勢で経営が定着。そのことは同時に、営業活動が不要であるという経営上の利点もあった。

（3）「よいものづくり（QCDの精緻化）の実践が経営の安定につながる」という成功体験が、現場エンジニア第一主義的風土を形成し組織を硬直化させてきた。

また、図3-2は、部品メーカーの既存の強みと近年直面している課題との関係を簡略化したものである。また、この図の点線で囲った左側の部分は、かつて好不況にかかわらず競争力を発揮してきたケイパビリティおよびポジショニングであり、右側の要素は近年の競争環境の変化がもたらす脅威である。

以下は図の補足説明である（以下、図3-2の番号と対応）。

1——CAM／CAD／CAEといった設計・シミュレーション機器のハイテク化は、現場や現物をベースに創発、蓄積されてきた模倣困難性の高い暗黙知的熟練技能への依存度を逓減させ、製品技術の汎用化が進んでいる。

2——日本製よりも低価格でありながら同等の性能が見込める台湾製、韓国製FA機器の汎用化が新興国メーカーの設備投資を促進し、高品質な製品の量産化を容易にして競争力を強化させている。

3——1、2の要素に加え、新興国メーカーの野心的な起業家による「手間がかかり小ロット」という、うまみに欠ける低収益ニッチ市場への積極果敢な参入が進み、汎用性の高い製品分野においては特に、出口の見えない低価格競争が激化している。

そうした中で、グローバリゼーションの本格到来は市場や競争環境を一変させている。にもかかわらず、従来型経営者の多くは未だ、「よいもの（自分たちの納得するもの）をつくれば売れる」という「プロダクト・アウト」志向一辺倒からなかなか脱却できていないのが実情だ。

特に近年では、ASEAN連携型のサプライチェーンが形成され、変種変量生産という複雑な市場ニーズに対応することが求められており、従来のように短期的視点かつアドホックな経営に終始するだけでは生き残りが難しくなっているといえるだろう。

それゆえ、激変する競争環境下においては、企業規模の大小にかかわらず、優れた部品メーカーはそれぞれ異なる育ち方によって個別性の強い技術を確立し、そして実際にそうした個別性にこそ、世界的にも競争力を発揮しうる強みが宿っている場合が多い。

ここからは、前述の視点を中心に、部品メーカーが自律的、持続的に競争力を発揮するために不可欠な資質や、他社の追随を許さない非代替的な要素とはどのようなものであり、また、なぜそのようなことが言えるのかについて事実に即して説明する。

4 経営を左右する生産設備の内製力

†普遍性のある戦略はあるか

多くの企業が持続的な競争優位を実現したいと考える一方で、そうした普遍性のある戦略は果たして存在するのだろうか。

これまで再三述べてきたように、市場のグローバル化による変種変量生産ニーズという不確実性の高い市場環境において、部品メーカーが自律性を担保するためには、短期間での設計変更への対応や多様な顧客ニーズへの柔軟かつ迅速な対応能力が不可欠である。

まさに「ゼロから一を創りだす」創造的な発想に加え、それらを具現化できる奥行きのある技術力が求められる。際限なく広がり多様化するニーズへの対応を考えた場合、そうした製品を生み出す生産財（製造装置）それ自体から独自の発想と設計力で製造できるほどの能力が社内にあれば、単純にその分守備範囲が広がり、様々な要求に対応できる。

つまり、本来中間財を供給する役割にある中小メーカーであっても、生産機械や製造装置を自ら企画、設計し、内製することができる技術力を社内に有することができれば、基本的にいかなるニーズにも対応でき競争上極めて有利になるだろう。もちろん、実際にはそのような生産設備のすべてを内製する必要はない。

以下では、こうしたケイパビリティを実際に自社内に保有することができれば、本当に競争優位を実現することができるのか否かについて、実例を点検しながら考察を進めていく。

†生産設備内製力と経営の安定

部品メーカーが有する生産設備内製力が自律的・持続的に安定した経営をもたらす可能

性が高いという仮説を、より客観的かつ中立的な立場から検証しようとした場合、様々な分析手法が考えられるが、ここからは定量・定性の両面の視点から、生産設備内製力と経営の安定について考えていきたい。

とはいえ、実際に中小メーカーの多くが非上場であることから、経営の健全性を示す数的根拠や分析に必要なデータ収集が極めて困難なことが、中小企業研究における定量分析の泣き所である。それゆえ、実際に経営の安定に寄与しうる技術的特徴や戦略が効果的に機能するか否かを正確に測ることは難しい。本章でも、考察を試みる生産設備内製力と経営の安定といったテーマの普遍的なエビデンスを導き出すことが極めて難しい点をご承知おきの上、読み進めていただきたい。

ここからは、業績指標が開示されている東証二部上場の機械、鉄・非鉄金属、電機・電子、輸送機器などに関連する中間財メーカーを中心に分析を進めるが、非上場の中小メーカーにできるだけ状況を近づける意味において、中堅規模の企業を中心に表3―2に示した属性の企業を題材にした。特に、受注生産型の部品メーカーであることがホームページ上から確認できる一三九社を抽出し、生産設備内製力の有無と安定経営との関係を検証した。

次に、抽出されたそれぞれの企業の経営面での安定性を分析するために、中小企業二三

機械	鉄・非鉄金属	輸送用機器	電機・電子機器	その他	計
34	23	12	30	40	139

表3-2：分析対象企業の業種別属性

万社超の決算書の基礎データを有し、税務当局、金融機関などからも高く評価されている株式会社TKCの財務的視点を援用した。すなわち、企業の自律的な経営の安定に不可欠な「企業の信用力」、「効率性」、「安全性」、「成長性」を測る客観的指標として用いられている以下の三要素をベンチマークとした。

一つめは、経営の効率性の視点から「①総資産利益率（ROA）」。二つめは、同様に安全性の視点から「②自己資本比率」。最後に、企業規模ではなく持続的安定経営のための成長性を示す「③自己資本増加率」である。

また、企業の安定性を判断するそれぞれの指標の安全性を示す基準値には、ROA五％以上、自己資本比率四〇％以上、自己資本増加率については過去三年間プラスであることを経営の安定性指数と設定した。その上で、これら三要素すべてをクリアした企業についてのみ、経営の安定性を担保している企業であると判定することとし、それらの安定した経営の実践が確認された企業のうち、生産設備内製力を有している企業をHP上の技術情報から情報収集し、確実に生産設備を内製していることが確認できる企業のみを集計したのち、安定経営と生産設備内製力との関係性について定量的な視点から分析を行い、それらの企業の設立年の分類を行った。

その結果、分析対象である一三九社中、経営の安定性を満たす企業はたったの二五社と全体の一八%ほどしか存在しなかったものの、それら二五社のうち生産設備内製力を有していた企業は二三社にものぼり、安定した経営を実践している企業の実に九二%が生産設備内製力を有しており、その企業はそうでない企業よりも業績が安定していることが示された。さらに、これら二三社のうち、二一社が高度経済成長期(残り二社のうち一社が一九七六年)に設立されていたことも明らかになった。

収集データは決して十分とはいえないが、分析結果からひとまず見えてきた傾向は、生産設備内製力という強みを有する企業は、そうでない企業に比べ安定した経営を実践しやすく、さらにこうした差別化要因を有する企業の多くは一九五五〜七三年まで続いた高度経済成長期に設立されているという共通項を見いだすことができた。

†自動車部品メーカーT社の例

ここからは、定量分析結果から得られた事実をもとに定性的な視点から、実態調査を基本に、工程設計のオリジナル性としての生産設備内製力と持続的な安定経営との関係について考えていきたい。

インタビュー調査を実施したのは、大阪府に本社を置き、主に自動車、自動二輪のバックミラー（ドアミラー、ルームミラーを含む。以下バックミラーとする）の設計、製造を手掛けるティア1メーカーT社（資本金約七九二〇万円、国内従業員数八四名、海外五一五名）である。なおT社の実名、経営者名などの情報は、インタビュー時の約束として公開しない。

戦後間もない一九五〇年に設立されたT社は、自転車車輪用のハブ生産から自転車用テールランプ、自転車用バックミラーの生産を経て、現在の自動車および自動二輪装着用バックミラー設計、製造、販売を行うティア1メーカーへと成長した。

一九五七年にはすでにダイハツ・ミゼットや、富士重工のサイドカーラビット用ミラーの供給実績を有し、創業当初からたぐい稀な技術力を誇っている。同社の卓越した技術力を支える背景には、製品の主要部材であるミラーの研究開発、生産、バックミラーのアッセンブリ、量産までを手掛ける一貫生産体制を構築していることがある。

さらに、一九八八年には他企業よりも一足早くタイでの生産を開始し、一九九六年にはインドネシアにも現地法人を設立しASEAN地域から世界の先進国市場に向けて製品供給を行うグローバル経営を実践しているメーカーである。また、二〇一二年の「大阪ものづくり優良企業賞」を受賞していることからも、同社の経営手腕の優良ぶりがうかがえる。

†T社のコア技術

素材	加工・処理技術	加工	製品・用途
ステンレス	薄モノ板プレス加工	プレス	バックミラー鏡ケース（ハウジング、ボディ、本体）
スチール	棒状のネジ加工、曲げ加工など	ネジ加工、穴あけ加工	バックミラーのステー部品
ガラス	研磨、真空蒸着	切削、研削、研磨、表面処理、めっき	バックミラー部品、アンダーミラー部品
プラスティック	粘着加工、成型加工	プラスティック成型	ルームミラー部品

表3-3：T社が手掛ける加工処理技術
出所：大阪企業PRページより抜粋

表3－3は、同社が社内で手掛ける加工処理技術をまとめたものである。

T社の技術的特徴は、表中の研磨、真空蒸着といったガラス素材を扱う加工・処理技術にあり、中でも特に優れた強みは、①ミラー工場を自社内に保有し、ミラー自体を一から生産できる工程づくり、②ドアミラー、ルームミラーの母材にあたるポリプロピレン材（以下、PP材と表記）のミラーへの独自インサート蒸着技術、の二点に集約できる。

まず①においては、もともとガラス専業メーカーからミラーの供給を受けていたT社だったが、ガラスメーカーとの度重なる品質向上を前提とした調整を進めていく中で、専業ガラスメーカーですらT社の要求水準を満たすことが次第に難しくなり、こうした経緯がきっかけとなって、T社では独自にミラーの研究開発を進めるようになった。そしてその後も、継続的な研究開発を続けるうちにミラーの原材料であるガラス加工技術を習得し、そしてついにはミラーの製造装置までも内製するに至ったのだった。

次に②において、標準的ルームミラーや自動二輪用リアビュー・ミラーを加工する際、ミラーを樹脂製のフレームにインサートするという工程がある。その際、接着剤などによる接合が一般的とされているのに対し、T社では接着剤を一切使うことなく独自の技術によってPP材を収縮させ、ミラーをフレームになじませていく特殊接合技術を用いて一体化させる技術を確立している。

これにより、外気温差プラス・マイナス四〇度の過酷な環境にも優れた耐久性を発揮するとともに、8G（戦闘機でおよそ3G）という重力負荷にもミラーがブレたりズレ落ちたりすることのない圧倒的耐久性を実現している。

このように、ミラー全体を包み込むPP材を自在に操る独自工法は、同社のオリジナルな技術であるため、同技術を用いてバックミラーを生産する競合他社は現状では見当たらず、T社は世界中の大手メーカーから絶大なる信頼を得、揺るぎない地位を確立している。

†どん底から復活まで

第一次オイルショックが発生した一九七三年、他社同様にT社でも生き残りをかけ、懸命の経費削減活動や売上確保に多くの社員が奔走していた。T社はこの時期、ひたすら目の前の業務を一つひとつこなすこと以外に活路を見いだせない状況が続き、市場動向はおろか業界やライバルメーカーの動向をマークすることすらままならないほどに情報収集力が低下していた。さらに追い打ちをかけるように、一九七九年には第二次オイルショックに直面するなど、経営的に予断を許さない状況が長らく続いた。

しかし同じ頃、足元では道路運送車両法改正が施行されたことを受け、自動車メーカー各社は従来のフェンダーミラーからドアミラーへの大幅な設計変更を急ピッチで進めるなど、水面下で技術的なうねりが起こっていた。当時、大手自動車メーカーと太いパイプを持つ一部の競合メーカーは、こうした状況下でも周到に情報収集を行いこれへの対応を進めていた。

T社が気づいたころには、基礎・応用研究・開発、さらに、材料調達や基礎的な技術的対応のいずれにも大きく出遅れており、早急に何らかの手を打つ必要に迫られていた。

こうした厳しい状況下においてライバルメーカーとの競争に打ち勝ち、差別化を推進していくためには、競合他社の追随を許さない「高品質・低価格」以外に生き残る術はないとT社は判断し、新たな方針を打ち立てた。

競合他社との競争や外部環境にも翻弄されない製品づくりの第一歩は、高品質ミラーの母材でもあるガラス加工から根本的に手を加えるという徹底ぶりで、生産工程における川上から川下までのすべてを手掛ける中で、生産設備の内製化とそれに伴う製造工程のブラックボックス化を推進し、詳細な品質データや様々な加工技術を蓄積させていった。

こうしてT社は、技術をベースとした戦略経営を地道に進めたことで、競争力を徐々に回復させ、今日では様々なものづくり分野の賞を多数受賞するまでに競争力を高め、安定した経営を実践するに至っている。

†技術戦略の要諦

T社は、「プロダクト・イノベーションとプロセス・イノベーション間の関係性」に着目し、見事形勢逆転に成功した。しかしながら、前述したように製造装置のハイテク化および簡易化が今後も進むことで、ものづくり経験に乏しい新規参入者でさえ、ひとたび最新設備を手にさえすれば一定レベルのものづくりを行うことが可能になりかねない。

そうした状況のなかで持続的に競争力を発揮していくためには、他社が容易につくれない高難度の製品を効率よく生産できる能力を社内に保有することが、長期的な安定経営の実践には極めて重要になる。T社は、この点に着目し自社独自の戦略を実践してきたといえる。

T社についてはもう一つ指摘しておくべきことがある。通常、製造に関わる業界の取引慣行の中では、ある製品がいったん流動して半年ぐらいが過ぎると、取引先からのコストの見直しや値引き交渉が活発化することが多い。一方で、近年のプロダクト・ライフサイクルの短期化は研究開発費を増大させる傾向にあり、なかなか思うように収益性を確保することが難しくなっている。

こうした状況の下、T社では平均して三～五年周期で新たな製造装置を完成させることによって、まったく新しい製品を顧客メーカーに提案するなど、値引きではなく新たな付加価値を創造することに軸足を置いている。

T社の技術マネージャーによれば、設備が稼働し始めてから三～五年経過したミラー製造装置は、もはや自社にとってさほど高付加価値を生まない設備として社内での認識が統一され、一定期間ごとに製造装置を大幅に入れ替えることをルーティン化させているという。

さらに、自社技術の枠の詰まった製造装置を処分する際、通常は技術流出を最小限に食い止めるために社内で解体、廃棄するのが一般的なのに対し、T社ではかつての主力設備であった製造装置をオーバーホールしたのち、競合他社かどうかにかかわらず第三者へ販売しているという。また、製造装置を購入した顧客に対しオペレーション指導、部品交換などのメンテナンスサービスも別途有償で提供するといった具合に、装置販売にメンテナンスをパッケージしたサービスを提供する新たなビジネスモデルを構築し収益を上げている。

当然、業界で競争力を発揮しているT社の製造装置には多くの外国企業が興味を示し、高値で取引が行われている。しかしなぜ、将来的なリスクにつながるかもしれないこのような事業を行っても、T社は経営不振に陥らないのだろうか？

調査をしていく中で明らかになったのは、製造装置を実際に購入した企業のほとんどが、「T社と同レベルの生産性を発揮することが困難である」ということである。T社によるオペレーション指導を受けているにもかかわらず、T社と同レベルの生産性があげられないとは一体どういうことなのだろうか？

†トヨタ生産システムと類似のロジック

そこには、トヨタ生産システム（TPS）と類似のロジックが存在していた。

つまり、基本的に生産ラインや設備全体は、自社内の他の設備との相性や自社技術、あるいは組織的強みが最大化できることを前提に設計されており、単に設備を物理的かつ部分最適な形で導入しマシン・オペレーション（操作）を行うだけでは、生産性を左右する

「ものづくりのよい流れ」をつくることが難しいからである。

そのため、実際にT社製設備を導入した顧客がアウトプットできる生産能力は、T社比の半分程度と試算され、他社がそれ以上の生産性を創出するためには、自社の生産ラインと技術的、組織的ケイパビリティとがインテグラル（統合的）に融合し、独自ノウハウを創出することが求められるのである。喩えるなら、同じレシピ、同じ素材、同じ調理器具を使っても、作り手の能力次第で味付けやその料理がいかようにも変化する原理と似ているといえるだろう。

このように、製造装置それ自体が他社へ移転されても、T社と同レベルの生産性を実現することは、机上で考えるより複雑かつ難しいのである。

こうした強みの源泉には、T社の歴史経路に依拠した非代替的な技術的、組織的ケイパビリティが深く関与している。こうしたことは、トヨタ生産システムが広く世に開示されているにもかかわらず、他社がトヨタと同等のものづくりがなかなかできないロジックと似ている。それは、システムを企画してその流れ全体を設計開発し、それらを具体的に運用する能力それ自体が「固有の技術」と深くかかわっているからである。

†見えてきた部品メーカーの強みの本質

複雑多岐にわたる市場ニーズへの対応には、他社の追随を許さない魅力的な製品提案と、それを具現化できるプロセス・イノベーションが決定的に重要であることが指摘できる。さらにいえば、生産装置からシステム構築までの全体を自社で内製できる技術的ケイパビリティを有することができれば、あらゆる顧客や市場ニーズへの対応を可能にする普遍的な力を手に入れることにもつながり、長期的な経営の安定と優位性をより強固なものにする要因になる。

実際に光山がこれまで聞き取り調査を行ってきた部品メーカーのうち、低価格競争からの脱却に成功し、国内だけでなく世界的にも高い市場シェアを獲得している企業の多くには、生産設備内製に不可欠な工機部門や造機工場を社内に保有しているという共通項が確認されている。

また、これらの企業から異口同音（いくどうおん）に聞かれるのは、差別化をもたらす技術の確立の背景には、「汎用生産設備では満たすことのできない公差（許容誤差）が存在する」ということである。多くの場合、自社が理想とするレベルの加工精度を追求していくうちに重点設備である生産機械の設計、開発を自ら手がける必要性に直面し、そうした一連のプロセスの中で試行錯誤を重ねていくうちに、少しずつ生産設備内製力という技術力に磨きがかかっていったというケースが少なくない。

たとえば、スタンフォード大学の戦略経営の権威であるロバート・A・バーゲルマン教授の著書である『インテルの戦略――企業変貌を実現した戦略形成プロセス』（ダイヤモンド社、二〇〇六年）によれば、マイクロプロセッサ分野で圧倒的な競争力を発揮するインテルは過去に、「専用設計ツールの開発に、巨額の投資が必要であった」としながらも、ロジック・チップ上に五〇万個のトランジスタしか搭載できない時代に、一〇〇万個のトランジスタを搭載しようとしていたとき、技術的に頼るところもなく、「自分たちで専用ツールをつくるよりほかに選択肢がなかった」と回想している。こうした点はインテルのマイクロプロセッサ設計における、「一番複雑で革新的な部分の設計には、設計自動化ツールを自ら開発しなければならなかった」（バーゲルマン、二〇〇六年）とする事例とも適合する。

†大切なのは日常の心構えと組織能力の高さ

近年、CAM／CAD／CAEといった最新ソフトウェアの導入と、それへの研鑽を高めることで熟練技能依存度を低減させようという試みが世界中で進んでいる。では仮に、ある企業が資本にものをいわせ、ハイテク機器や最新ソフトウェアを手に入れて対応力をつければ、日本のものづくりの優位性は次第に低下していくのだろうか？

著者たちの見解としては、すぐにそうしたことが起こるとは考えていない。既述のように、高度経済成長期前後のリバース・エンジニアリングをはじめ、様々な歴史的イベントの苦難の中で、気の遠くなるような試行錯誤の結果生み出され蓄積されてきた、ものづくりに必要不可欠な要素や能力を有している点が重要だからである。単にある企業をベンチマークし、マニュアルに沿ってものを作るだけでは獲得が難しい、独自の知見や固有のケイパビリティが関係しているのだ。

最新設備を導入すれば、物理的な生産速度は速くなるであろう。一方で、試行錯誤という痛みや苦労を伴わないマニュアル志向のものづくりを推進している組織や企業においては、顧客が意図するスペック（狙い、意図）に先回りし、それらの要求にコミットできる深い技術的洞察力を停滞させてしまう傾向にある。

つまり、小手先の工夫や模倣によって短期的成果を優先するだけの経営手法では、不確実性が高まる市場において、イレギュラーな仕様への対応には常に後手に回らざるを得なくなるのである。

いうなれば、ライバル企業の動向云々ではなく、ミクロンレベルの精度へのこだわり、能動的に技術的限界に挑戦しようとする日常の心構えや、組織能力の高さが、持続的な競争優位をもたらすか否かの分水嶺となるのである。

第四章

タイと日本

——技術観とものづくり思想の相違

1 日本とタイのメーカーを比較する

ここまで、我が国の部品メーカーの底力が、生産設備内製力やそれを補完する製造技術にあるという点について考察してきた。

ここからは、ドイツと異なり、後発としてものづくりの世界に登場してきたタイの工場の現実を比較対象としてみよう。日本の中堅部品メーカーB社とタイのOEI社（以下O社と呼称）を生産設備内製力に着目しながら比較分析し、両国メーカーの技術観やものづくりに関する思想の違いについて考えてみたい。

なお、B社の実名などの情報は、インタビュー時の約束として公開しない。また、O社の詳細については『グローバル化と日本のものづくり』（放送大学教育振興会、二〇一五年／改訂新版、二〇一九年）を参照されたい。

†タイのO社――受注率の低さが課題

以下では、タイの「自動車部品工業会」の会長企業を担当したこともあるO社について簡単に紹介する。

O社は、主にエレクトロニクス、自動車関連部品の生産・販売を専業とする、経営者から従業員まで全員がタイ人のピュアローカルメーカーであり、社員数は約四〇〇名にものぼる(二〇一八年七月時点)。

O社を率いるプラサートシルプ(Prasartsilp)社長(以下P社長と表記)は、タイの工科大学を卒業後、一九七三年から日系大手自動車メーカーにて、組み立て、生産ライン管理、バス車体の設計部門に従事し、一九七七年からの一年間、日系自動車メーカーの藤沢工場で、金型設計・製造を学んだ経験を持つ。日本語が堪能なだけでなく、日本文化への造詣も深く、いわば日本のものづくりDNAを継承する希少な存在だ。

ほとんど完全雇用状態が続くタイでは、労働者がより良い給与を求めて企業を渡り歩くいわゆる「ジョブホッピング」が盛んなこともあり、優秀なエンジニアの流出にはどの企業も頭を痛めている。技術力にこだわる同社では、優秀なエンジニアの定着をめざし、二〇〇〇年のISO-九〇〇〇認証取得を機に人材育成ロードマップを策定し、技術者育成および人的資源管理を計画的に進めている。

中でも、評価基準の透明性やキャリア形成の見える化など、個々の社員のスキル評価においての客観性および公正さを担保するとともに、経営者との信頼関係を強化しながら帰属意識を高めることでエンジニアの安定した定着を実現している。

O社の技術志向的な経営理念や社員を財とみなし、人材育成に邁進する姿勢は、企業の発展を長期的な視点で見据えている点で、近視眼的な経営に陥りがちなタイのローカルメーカーにあって異質な存在である。

たとえば、仕事の増加分を増員によって解決するのではなく、生産性向上の視点から全社員を巻き込み、積極的な改善活動によって打開していこうとする姿はさながら日本企業である。O社のように、直面する問題や挑戦的課題に対しても粘り強く創意工夫の精神で課題解決に取り組んでいれば、近い将来、日本の部品メーカーにとっても侮れない存在になることは間違いないだろう。

そんな成長著しいO社が特に頭を悩ませていた問題、それは、「競争力のある見積もり価格を提示しても、新しい技術が求められる引き合いの受注率が極端に低い」というものであった。この点については考察を交えながら後述したい。

†日本のB社——収益性の上がらなさが課題

次に、O社との比較対象である日本のB社について説明したい。

B社は、創業から六〇年目を迎える受注生産型の中堅部品メーカーであり、主に自動車や電子部品といった要求公差の厳しい小物部品の生産を得意とする中小メーカーである。

B社の特徴的強みをまとめると、

1――切削工法に比べ生産スピードが二〇倍速い冷間圧造工法を用い、CO_2排出量が半分以下であること。

2――造機工場を有し、生産設備を内製する能力を有すること。

3――塗装やメッキ、金型工場などを保有し、一貫生産体制を構築していること。

などに集約される。

B社における目下の課題は、取引先の顧客メーカーの多くが海外へ移転してしまったことで、高機能精密部品の量産引き合いが減少し、難度の高い小ロット製品の引き合いが増えたことで思うような収益性が上げられていない、などである。

2 RBV理論に基づく考察

†B社とO社の経営資源

表4-1は、B社とO社の経営資源面の特徴をまとめたものである。

表4-1からもわかるように、両社の経営資源はほぼ似通っているものの、「生産設備

	貸与図方式	現場現物志向	技術プッシュ志向	一貫生産体制	生産設備内製力
B社	○	○	○	○	○
O社	○	○	○	○	×

表4-1：B社とO社の経営資源ならびに特徴

内製力」の項目に差異を見いだすことができた。

以下では「生産設備内製力」の有無に着目し、生産設備内製力が両社の自律的な経営の安定にどのように作用するのか、なぜそのようなことが言えるのかについて、経営戦略論の権威であるジェイ・B・バーニーが提唱する「RBV（リソース・ベースド・ビュー）理論」と呼ばれる理論をベースに、VRIOフレームワークに沿って考察を行いたい。

なお、RBV理論とは、企業内部のどういった経営資源が競争優位の源泉であるのかを明らかにする理論であり、VRIOフレームワークとは、経済価値（Value）、希少性（Rarity）、模倣困難性（Inimitability）、組織（Organization）の四つの視点から特定したリソースが実際に競争優位を実現するのに有効であるか否かを分析するフレームワークのことを指す。

結論を先取りすれば、実際に「生産設備内製力」が両社の経営面にどのような違いを生んでいるのか検証を行った結果、B社の「生産機械内製力」は単に生産設備を作り出す能力があるだけでなく、その背後で、そうした設備が持つ能力を最大限引き出すための「製造技術」的ノウハウが重要な経済価値を形成していることがわかった。

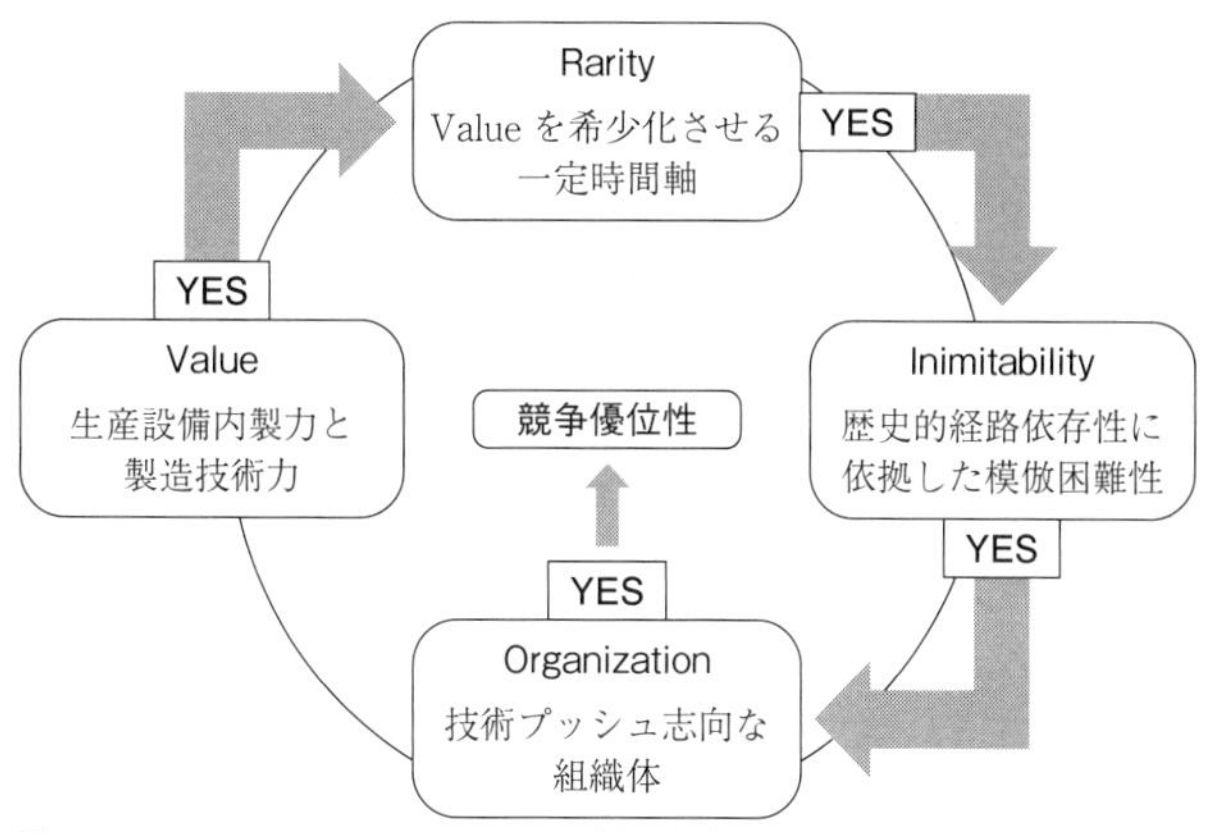

図4-1：VRIOフレームワークによるB社の経済価値

図4－1は分析結果の概要を図式化したものである。以下は、VRIOフレームワークに沿って行った分析結果である。

†経済価値――生産設備内製力と製造技術

O社のものづくりを支える工場内の生産設備を観察すると、そこには日本製をはじめ、日本製と比べて割安な台湾製、韓国製生産機械が用途別に効率的に配置され、工場の隅々まで整理整頓が行き届いていた。また、すべての社員の日本企業さながらの懇切丁寧な接遇を見るにつけ、同社の質の高い社員教育の一端を垣間見ることができた。

前述のように、順調な成長を続けるO社が課題に挙げる、「新しい技術が求められる引き合いの受注率が極端に低い」点に着目すると、本来、ハイテク工作機械やCAM／CAD／CAEといった最新ソフトウェアの導入と、それへの研鑽を高めることで熟練技能依存度は段階的に減少し、我が国の優位性が徐々に侵食されても不思議ではない。

しかしながら、筆者たちはこれまで、広範なASEAN地域での聞き取り調査を続けてきたが、技術面で日本の部品メーカーの脅威になりそうなピュアローカルメーカーには未だ出会っていない。だからといって、将来的にも日本の部品メーカーが安泰であるとは言いきれないが、少なくとも近い将来に我が国のものづくり産業を脅かすようなタイ企業は現れないと見ている。

ハイテクFA機械や最新ソフトウェアはもはや、お金さえ出せば誰でも容易に手にすることができる。だが、高機能化したFA機器を日々扱うオペレーターたちがまず考えるのは、「ミスをしないようにしよう」ということだろう。そして、だんだんと操作に慣れてくると学習効果によって生産性は一定レベルまで向上していくことが推察できる。しかし、これまで日本の技術者たちが挑戦してきたように、FA機器が持つ能力を最大化しうる、独自のオペレーションノウハウを生み出してやろうという挑戦意欲が生まれるまでには至っていない。

かつての日本のエンジニアがそうであったように、ASEAN地域のエンジニアには今のところ、「いつか日本を追い抜いてやる」という野心はほとんど見られない。今後、一段上の製造技術を確立しようとするならば、ワーカーレベルのエンジニアが自発的に前後工程を含むものづくり全体を俯瞰、把握し創意工夫していくことが必要であろう。エンジニアの多くがマニュアル志向かつ受動的に日々の業務に終始するだけでは、エンジニアの主体的な学習意欲は育たないからだ。

たとえば、PC上で構造計算やシミュレーション分析が入念に行われる近年の金型業界でも、素材ごとに異なる加工性や耐摩耗性評価は、実際の試し打ちなしには誤差が修正できないことも多く、ものづくりは想像以上に一筋縄ではいかない。特に、「金型設計―仕上げ」工程における技術は、現場現物依存度が高いことからマニュアル化させにくい。さらに、挑戦的な加工技術が求められる製品では、受注者であるメーカー側でも十分な加工データが蓄積されていないことも多い。

したがって、部品メーカーが顧客メーカー側から選好されるためには、経験則や生データ蓄積量といったリソース以外にも、マニュアル化、平準化できない奥行きのある高度な能力や評価能力を持っていなければ、本検証のポイントである「新しい技術を伴う引き合い獲得」は難しくなる。

B社の強みの一つである生産設備の内製化も同様に、「他社ではつくれない」あるいは

「他社では実現できない低コスト」といったニーズを実現するため、製品に対するミクロンレベルの精度へのこだわりと積み重ねがあってこその生産設備内製力なのである。

つまり、万人が入手可能な汎用FA機器を用いて、言われた通りに生産しようとするだけでは非代替的な技術は育たず、時間の経過とともにやがては価格競争に直面し、競争力が低下していくことをB社はすでに経験則から学んできた。

また、第三章のT社の事例からもわかるように、自律的な経営の安定のためには、オリジナルな生産設備に加え、製造技術をうまく融合させることが不可欠であり、そうした方針が社内でしっかりと共有できる組織能力の有無も併せて非常に重要であるといえるだろう。

実際の生産現場では、素材への穴あけの順番ひとつをとっても生産性や耐久性に大きな歪みをもたらすことがある。高機能製品の量産過程では特にその差が歴然としやすい。

ムダをギリギリまで削ぎ落とし、生産性向上に直結する製造技術においても、金型や治工具、材料などを生産機械にあらかじめセットできるよう準備する「外段取り(そとだんどり)」や、機械をいったん停止して段取り作業を行う「内段取り(うちだんどり)」などの技術的調整能力の有無が、企業が生き残っていくためには決して無視できない重要な要素である。なぜなら技術的調整が適切に行われない場合、大量の不良品の生産へとつながるだけでなく、治工具や機械自体

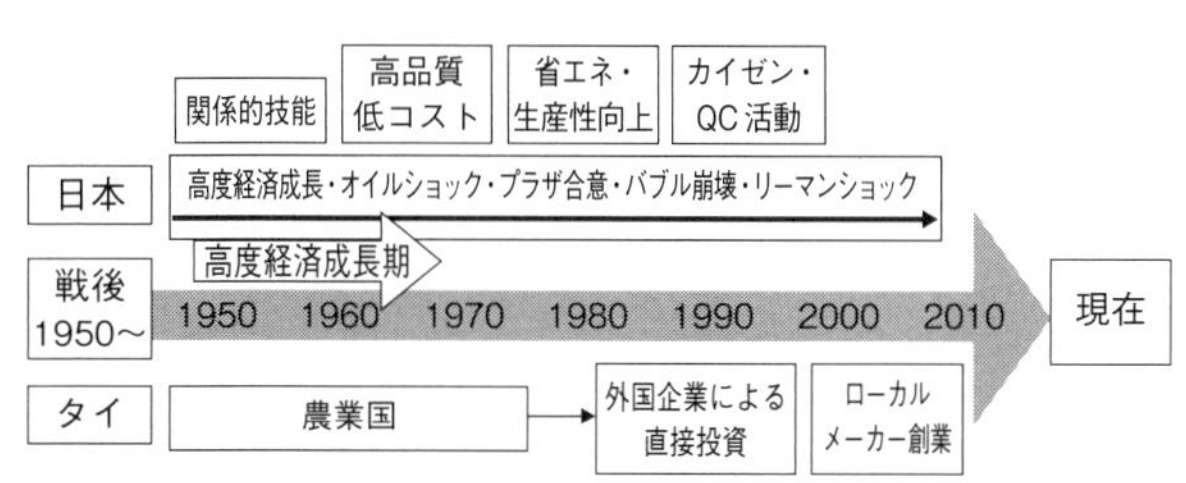

図4-2：日本―タイ間の経済発展推移の簡略図

にも致命的なダメージを及ぼす可能性が高くなるからである。

経営学関連の書籍ではこうした細かな指摘がなされることは少ないものの、生産性向上にはこうした地味なケイパビリティを保有することは重要である。長年現場で研ぎ澄まされてきた「技術調整力」と、連動した流れの中で生み出された「生産機械内製力」であるがゆえ、模倣が困難であり普遍性の高い競争力の源となっているのである。

†希少性――経済価値を希少化させる一定時間軸

B社の経済価値がなぜ希少性を有しているかを把握するためには、図4－2が示すように、高度経済成長が一つの重要な歴史的イベントであったことを考える必要がある。

先述したように、江戸時代末期の開国以来、常に先進国を意識することで自らの成長の糧にしてきた日本のものづくり産業は、必ずしも資源的に恵まれていたとはいえず、様々な制約の下で常にギリギリの状況に追い込まれてきたことが、結果的に連続的な創意工夫マインドを育て、それが技術革新へとつながってきたことはすでに述べてきた。

そして、こうした創意工夫マインドや能力が発展したのは、先進諸国市場のシェア獲得、さらにいえば、欧米の国々の豊かさへの憧れが戦後復興の中で国民全体を突き動かす原動力となってきたからであろう。

独自の生産技術が発展してきた背景には、既述のような特殊な取引関係や取引先との適合的な「関係的技能」というメカニズムの存在に加え、当時の日本やそれを取り巻く競争環境がもたらした偶発性に依拠しており、必ずしもO社をはじめとする他国メーカーにとってベンチマークできるベスト・プラクティスとはならない。こうした点で、B社の経済価値には希少性が宿る。

時代背景や当時の市場ニーズの下で発展してきた「生産設備内製力」や「製造技術」は、現場の主体的な試行錯誤の反復の中で創出された能力であり、その進化（深化）と発展に費やされてきた時間もまた、明治維新以降、日露戦争や第二次世界大戦後の高度経済成長期という歴史的偶発性の「時空間」の中で生成されたがゆえに、B社の経済価値にはVRIOフレームワークが指摘する「一時的競争優位」を満たす希少性が内在していることが指摘できる。

†模倣困難性――歴史的経路依存性に依拠

前出のジェイ・B・バーニーは、「模倣困難性に関する問い」が持続的競争優位を決定づける上で非常に重要であることを、その説明に費やした紙幅を以って示唆している。同氏は、獲得した「経済価値」の「希少性」における模倣を困難にさせる条件には、

①独自の歴史的条件（unique historical conditions）
②因果関係不透明性（casual ambiguity）
③社会的複雑性（social complexity）
④特許（patents）

の四つが存在することを指摘している。

以下、本章における経済価値が有形の特定製品というよりもむしろ、生産技術を高める手段としてオリジナルな製造装置を創造するノウハウやナレッジなどの無形資産である点を考慮し、④特許以外の①〜③の要素に沿って検証を進める。

†①独自の歴史的条件

B社の経済価値創出と高度経済成長が関係しているであろうことはすでに述べた。とりわけ、一九七三年以降二度にわたり発生したオイルショックは、それまでの「高品質」「低価格」という市場の要求に加え、「省エネ」「生産性向上」というさらに難しいニーズを満たすよう迫ったことから、これまで以上に危機意識が高まり、何らかのソリューションを創出する意欲を一層刺激した。当時は、現代の経営に見られる様々な経営手法を駆使して業績を安定させる知識に乏しく、もっぱら現場のエンジニアを中心に材料の再検討や工程におけるムダの徹底排除といった視点で黒字化を目指してきた。

B社のケースも同様に、品質・費用・納期（QCD）の向上を徹底する以外に活路を見いだすことができなかったことが幸いにも「怪我の功名」となって、職場内で品質管理活動を自発的に小グループで行う活動であるQCサークルなどの社員の知見を徹底的に活用する術を生み、独自の技術的、組織的ケイパビリティの創出に繋がったという偶発性が関与している。

これに関してバーニーは『企業戦略論』（ダイヤモンド社、二〇〇三年）の中で、インゲマル・ディエリックスとカレル・クール（Dierickx & Cool, 1989）の研究を引用し、企業が特定の資源を獲得した場合、「いつ、どこにいたか」に依存し、その時点や歴史がいったん過ぎ去ってしまうと元に戻せない、「時間的圧縮の不経済」が存在することを指摘するなど、独自の歴史的条件が模倣を困難にさせる上で重要なことを示唆している。

②因果関係不透明性

たとえば、タイの日系現地法人のほとんどの製造現場では、日本の工場と同様、業務の一環として5S（整理、整頓、清掃、清潔、躾）が定着している。しかしその実情は、表面上あるいは形式上日本と同じには見えるが、タイ人の意識や感性に必ずしも日本人と同様の価値や概念に基づいて定着しているわけではないことが、タイでの調査から明らかになっている。

第一章で紹介した、早期にタイに進出した熱処理メーカーのように、一五年、二〇年と勤務し、何度も日本工場で技術、技能を学んだタイ人の場合は異なるが、一般的なタイ人の意識やタイ国内で定着している5Sに対する見方や考え方は日本人とは異なり、必ずしも整理整頓などの行為自体に積極的な意味はなく、ましてやそれが生産性向上という概念とも直結していないことが多い。

現地で勤務する日本人駐在員によれば、タイ人に対する業務としての5S導入、推進は、物理的には可能である一方で、そもそもタイ国内やタイ人の意識の中においては、職場がオーガナイズされ、きれいな環境が維持されることが不良率の逓減や事故防止に寄与するという、日本人ならおおよそ理解できそうなつながりが定着しないのだという。

つまり、いったん職場を離れて帰宅すると、雑然とした環境で生活を送ることが普通であると感じる社員も多く、職場での整理整頓はあくまで給与をもらうための手段のひとつであり、能動的に行おうとする意欲は見られない。もちろん、個人の性質にもよるところは十分考慮すべきではあるが、本質的に5Sの推進そのものが生産現場の効率性に繋がるという概念に直結しにくい歴史経路の下に、彼らの行動様式や国民性が形成されており、日本とタイのものづくり分野で何らかの差異を生んでいる可能性は高いだろう。

他方、日本では、高度経済成長期という驚異的な経済発展の下、「よいものづくり（QCDの精緻化）こそが競争優位と経営の安定をもたらす」ということを既成事実化させ「成功の方程式」として定着してきた。

また、極端な例を挙げると、赤字でなければある程度は採算度外視でも、「技術面で常に頼られる存在」でありたいという特殊な「ものづくり哲学」が今も存在するなど、短期的な成果を重視する欧米企業とは異なり、明らかに異質性が宿る。ここには自分でもなぜそうしてしまうのかわからない、因果関係の不透明性を指摘することができる。

日本人に見られる傾向として、単純で面白みに欠ける作業であっても、「なんとか効率的にできないか？」あるいは、「どうせ働くなら、楽しく働こう！」という就業観が挙げられる。もともと、ものづくりやハイテク技術が好きな国民性であることに加え、仕事を単なる経済行為として捉えるのではなく、日本人にとっては「働く」という概念それ自体に責任や誇り、あるいは喜びといった「労働」とは異なる意識が備わっていると、長年米国で就業してきた光山は感じている。

今後O社をはじめ競合他社が新規参入し、日本のような行動様式をベスト・プラクティスとして取り入れようとした場合、模倣にかかるコスト以前にその国民性や社会通念上の複雑性といった部分で異質であるがゆえに、どれだけの資源を投入しても模倣は困難であろう。日本の場合、特に高度経済成長期という特異な社会情勢の下で磨かれてきた忍耐力や粘り強さには、説明できない模倣困難性が内包されている。

†③社会的複雑性

つまり、日本と同じような高度経済成長期や当時の社会情勢を再現することは物理的に不可能であることから、B社にはその「時点」や「歴史」がいったん過ぎ去ってしまうと元に戻せない、「時間的圧縮の不経済」が存在するとともに先行者優位（Lieberman &

Montgomery, 1988）が担保される。すなわちB社の経済価値は希少でありかつ模倣困難性が内在することから、VRIO理論上、一定期間持続する競争優位を獲得することが指摘できる。

†組織——技術プッシュ志向な組織体

O社では、日米の大学および大学院でエンジニアリングとマネジメントの教育を受けたP社長の長女がすでに副社長として手腕を発揮している。同社では、P社長が一代で築いた技術力に加え、デジタルツールを積極活用し、高い付加価値の創出を目指したものづくり経営が進められている。

しかし、急速な経済発展を遂げるタイでは、ローカル企業が独自の技術力をじっくりと醸成させる時間的余裕がなく、どちらかといえば、短期的な収益獲得を目指す経営スタイルへの傾倒が目立ち、若い世代ほど地道なものづくりへの関心が薄らいでいるように見受けられる。

一方B社では、既述のように「よいものづくり（QCDの精緻化）が経営の安定につながる」という地味で古めかしい「技術を最優先する成功のロジック」が今もなお、組織全体を貫くコンセンサスとなっており、組織全体を突き動かす起点ともなっている。

たとえば、製造現場では日々、金型は摩耗し機械の微調整が求められる。そこでは常に一人ひとりの社員が丁寧かつ主体的に仕事と向き合う必要があり、そこに企業としての総合力が試される。特に、品質の維持はもちろん、「自社の設備やラインは自分でつくる」という気概でものづくりに取り組まなければ、O社が今後、どれだけ積極的にハイテク機器を導入し、また、生産設備メーカーをグループ傘下に収めようとも、生産設備の潜在能力を最大化しうる独自の製造技術を生み出すことは難しいといわざるを得ない。この点において、B社はO社と異なる組織体を有することがわかる。

†まとめ

不確実性が高まる現在、生産設備を一から設計、製造できる奥行きのあるケイパビリティは、長期的視点からみても、その優位性を脅かす侵食範囲が極めて限定的であることがわかる。

B社の経済価値を考える上で重要なポイントをおさらいすると、「生産設備内製力」あるいは「製造技術」という経済価値は、高度経済成長期という一定時間軸の下で「独自の歴史的条件」「因果関係不透明性」「社会的複雑性」といった要因が偶然にも融合・連動し、「生産設備内製力」という経済価値創出につながったといえるだろう。さらに、技術を守り、技術力こそが自律的な経営の安定につながるというコンセンサスが組織のなかで統一されていた。

こうした論理には先述の「時間的圧縮の不経済」理論（Dierickx & Cool, 1989）が寄与していることからも、一連の経済価値の希少性や模倣困難性が強化されていることがわかる。一方でバーニーも既述の『企業戦略論』の中で、「企業が直面する脅威と機会が変化することで、企業の保有する経営資源の価値を劇的に変化させてしまう」と主張しているように、競争環境を常にしっかりと見極め、あるべき方向に柔軟に対応できる組織能力を深化させていくことが今後は重要であろう。

特に、製品がより複雑化、高機能化し、地理的広がりを見せるグローバル市場においては、既存の経済価値を従来の直線的、あるいは硬直的手法で単に高度化しようとするだけでは、かえって競争力を低下させかねないというコア・リジリティ（ハーバード・ビジネススクールのレナード・ドロシー・バートン教授が提唱した理論）（Barton, 1992）の罠に陥ってしまう危険性がある。こうした点には十分留意すべきであるということは、ハーバード・ビジネススクール教授であるクレイトン・クリステンセンが著した『増補改訂版 イノベーションのジレンマ――技術革新が巨大企業を滅ぼすとき』（翔泳社、二〇〇一年）の中でも再三指摘されてきた。その重要性について今さら言及するまでもないだろう。

ここまで論じてきたように、最新の生産設備の導入は、物理的に一つひとつの製品を速くつくることを可能にする。しかし、それだけでは差別化を実現しうる特性を持った製品の創出はもとより、発注側が意図する狙いや要望に先回りできるような深い技術的洞察力を組織内で醸成させていくことが難しくなる。

小手先の工夫や模倣といった短期的な成果を優先するものづくり観、あるいは経営観だけでは、持続的な競争優位を実現するケイパビリティを創発させることは難しい。組織能力を発展させていくためには、マニュアルに沿ったものづくりに終始するだけでなく、自発的で忍耐強い試行錯誤マインドが求められる。つまり、「生産設備内製力」というキーワードや目先のトレンドに惑わされるのではなく、長期的視点に立ってゼロから新たなものを提案し創出できる経済価値と、それを具現化できる組織能力を育んでいくことが重要であるといえるだろう。

第五章

バーチャル・エンジニアリング世代の台頭

――見えてきた差別化創出のカギ

1 新しいものづくり思想

日本のものづくり産業の足元では、団塊の世代が大量に定年を迎えた二〇〇七年問題や二〇一二年問題が指摘され、廃業した同業他社からの要員の引き取りや、七〇歳を迎えても雇用を延長するなど柔軟な雇用形態を確立して熟練技能を確保し、技能伝承を急ピッチで進めているのが実情である。ただし、後述するように基盤技術の領域では、まず新規採用そのものの難しさなどもあり問題が山積している。

†若者世代のものづくり思想

近年のものづくり工程におけるデジタルデータ活用は、コンカレント・エンジニアリングやフロント・ローディングといった事前調整型のシミュレーションによって、前後工程を担当するエンジニアや、国外にいるサプライヤともインターネットを通じてリアルタイムで情報共有することが可能になっている。さらに、三次元CADを中心とした設計データのデジタル化によって、製品開発の新たな流れや生産管理方式に多大な影響をもたらすなど、かつての部分最適型ツールとしての役割を超え、今日ではなくてはならないテクノロジーとなっている。

こうした中、急速な勢いで進歩するＩＣＴ分野のハイテクツールを有効活用すべく、これまで移転が難しいとされてきた熟練技能の次世代への橋渡しが、既述の東京ダイスのような試みも含めて様々な方法で試みられている。

中でも、多くの高校や大学、大学院といった教育機関においては、ＩＣＴを積極活用し、「設計」などの実務に即した教育を念頭に課題解決型学習（ＰＢＬ）と呼ばれる創成教育を新たに導入しながら、システム・ソフトウェア開発に重点を置いた即戦力の育成にも力が注がれるようになった。ＰＢＬとは、「教員による一方向的な講義形式の教育とは異なり、学習者の能動的な学習への参加を取り入れた教授・学習法」の総称であり（文部科学省二〇一二）、学習者が能動的に知識、教養といった汎用的能力をグループ・ディスカッション、ディベート、グループ・ワークなどを通じて学習する方法である。

こうした地道な取り組みの甲斐もあってか、ものづくり分野における若者世代の多くがＩＣＴに強くコミットした独自のものづくり思想を構築、実践し、熟練エンジニアでも容易ではない難度の高い個性的な設計や、従来にない斬新なデザインを生みだす技術力を着々と育んでいる。こうした世代は、「創造力を教育する」という新しいタイプの工学教育の成果もあり、バーチャル・シミュレーション技術をベースに、昨今では様々なソフト

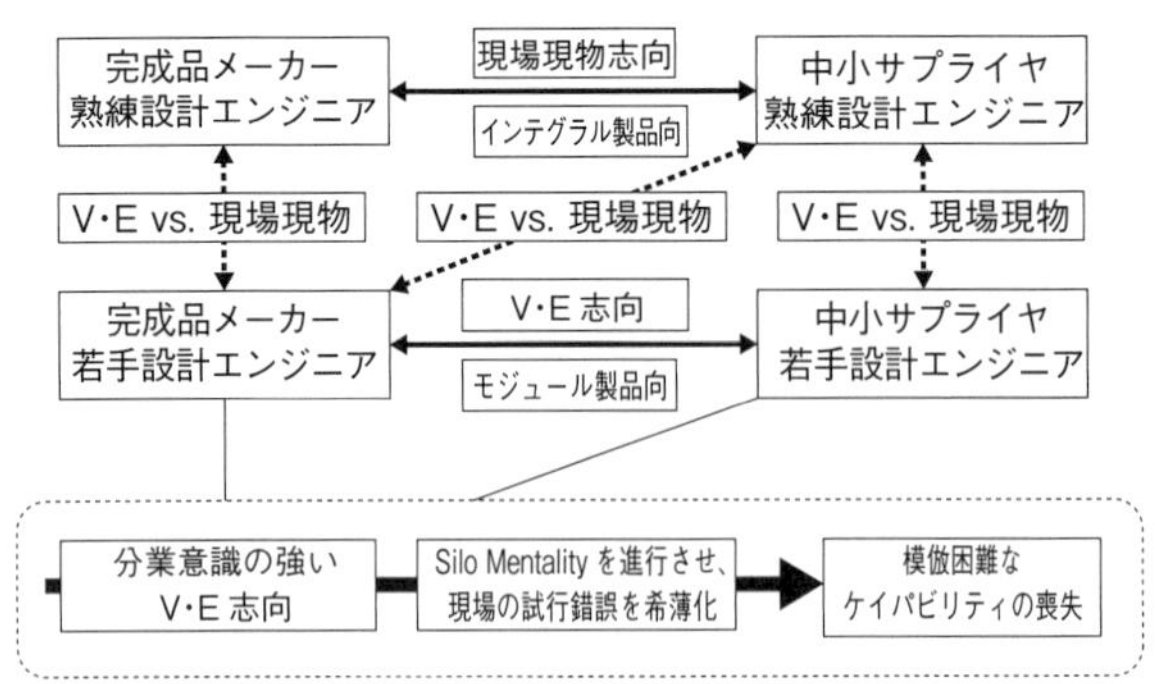

図 5-1：現場現物志向とＶ・Ｅ志向との構図
出所：光山 2015。━は協調、╍は対立、---点線枠内は今後のものづくりの方向性

ウェアやＶＲ（仮想現実）、ＡＲ（拡張現実）、ＭＲ（複合現実感）を活用しながら、設計、開発段階からよりリアルで実践的な状況を想定したものづくりを発展させている。

一連の先進技術を積極的に活用するバーチャル・エンジニアリング世代（以下Ｖ・Ｅ世代と表記）の多くは、基本的にコンピュータ技術の絶対的正確性、緻密性を前提とした新しいものづくり思想を構築している。こうした新たな流れは、我が国のものづくりを、これまで牽引してきた既存のものづくり思想とは異なるアプローチであるといえるだろう。

†「Ｖ・Ｅ志向」と「現場現物志向」

以下ではまず、技能伝承停滞のメカニズムへの理解を深めるうえで、図５－１の枠組みに沿って、「Ｖ・Ｅ志向」と「現場現物志向」を背景とした

「ものづくり思想の相違」についてそれぞれの立場から検討を加える。

その際、「熟練エンジニア＝現場現物志向」や「若手エンジニア＝V・E志向」のように二分するのではなく、セットメーカーか部品メーカーかを問わず、新旧世代間で停滞する技能伝承停滞の実態を把握し、将来的にも日本のものづくりが競争力を発揮するために不可欠な問題の本質について議論を深めたい。

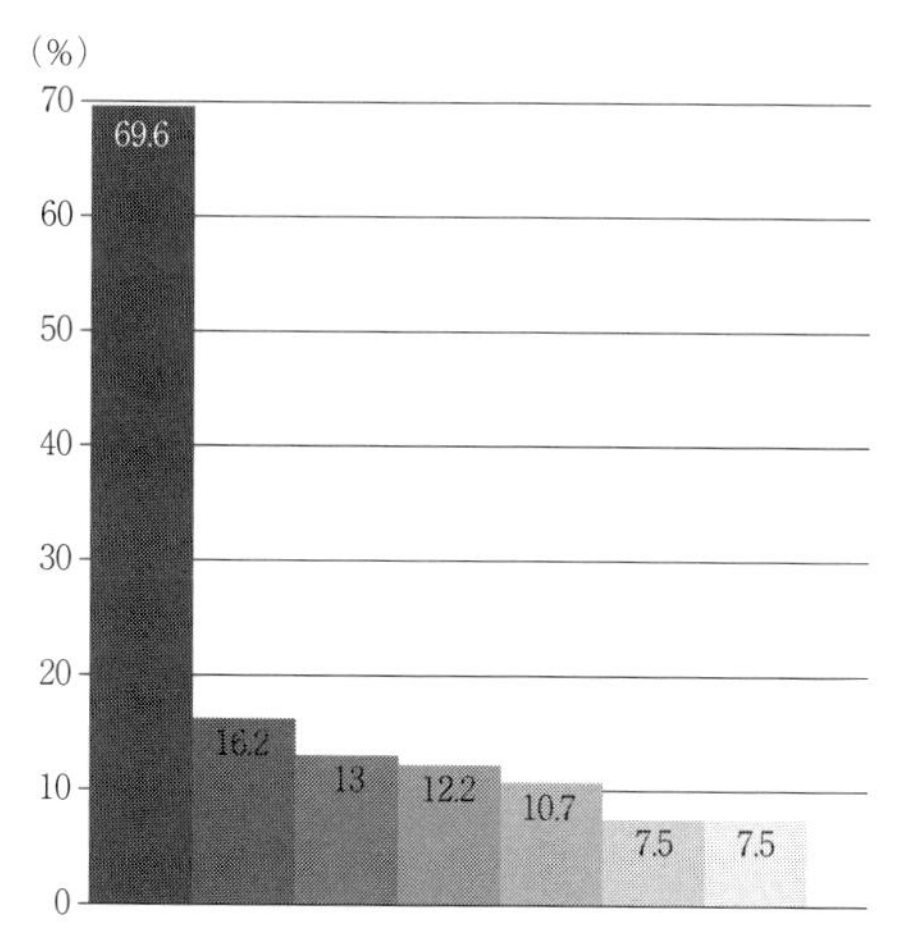

図 5-2：技術競争力が低下している理由
出所：2012 年版『中小企業白書』より作成。
■技術・技能承継がうまくいっていない　■海外企業等の技術力向上　■技術流出により同一技術を他社が保有　■機械化・IT 化進展による技術の一般化　■機械化・IT 化への対応が遅れた　■代替技術が出現した　■その他

技能伝承の停滞

図５－２は、二〇一二年版『中小企業白書』ならびに二〇〇九年版『ものづくり白書』から、熟練技能伝承停滞に関するデータをグラフにしたものである。３K職場の象徴的存在でもある鋳鍛造、切削加工、塗装、メッキ、熱処理と

理由	回答
会社の存続が不可能となる	71.4%
人材育成の手段として意味がある	56.0%
新たな技術を生み出すため	55.6%
技能こそが各社固有の競争力	49.1%

表5-1：技能継承が「必要」「やや必要」とする理由（n=345）
出所：厚生労働省委託「中小企業の人材育成と技能継承に係る調査」（2009年）

いった基盤技術産業では、若手人材の確保難が年々深刻化している。さしあたってこの対策が中心となっており、技能伝承の長期的な計画が大幅に停滞していることが『中小企業白書』のデータなどから浮き彫りになっている。

また、表5－1が示すように、技能伝承停滞が及ぼす弊害は、技術面での競争力低下以上に経営の根幹を揺るがしかねない切迫した課題でもある。

特に、我が国のものづくりは、品質を工程でつくり込む点で独自の強みを発揮してきたことは既述の通りであり、それゆえ人材育成の困難さは問題である。

†V・E世代の台頭から見えてきた新たなものづくり思想

技能伝承の難しさは各所で伝えられているが、その一方で近年のICTツールの進歩は目覚ましく、昨今のゲーム機に見られるリアリティの高い表現力は、仮想世界に慣れ親しんできた若者たちにとって、もはや仮想世界に留まらない異質の時空間や世界観、さらに、新しい価値をも生んでいる。

ものづくり産業においても同様の傾向が見られている。デジタルツールに囲まれて育ったデジタル世代の多くは、従来の常識にとらわれない斬新なものづくり観を持っている。たとえば、三次元CAD／CAM／CAEといった設計・解析ソフトの性能向上や教育機関の充実によって、ICTを積極活用したものづくりは年々進化を遂げており、セットメーカーの若手設計エンジニアを中心に、これまでの伝統的な現場現物をベースとしたものづくりから、PC上のバーチャルな世界でつくり込みを行うものへと変貌を遂げている。

特に、ソリッドワークスに代表される三次元CADの出現によって、これまで熟練エンジニアの頭でしか立体化できなかった二次元図面の空間把握をPC上で三次元モデル化できるようになった。構造解析や動作確認に加え、それらを参照しながら組み立て分解ができるようになり、作業性を向上させている。

中でも、図5-3が示すように、ソリッドモデリング機能を搭載した三次元CADの普及は、大幅な設計変更回数の逓減や開発リードタイムの短縮をもたらし、部門間の作業効率を高めるだけの部分最適ツールの域を超え、製品開発の新たな流れや生産管理方式に大きな影響を与えている。

また、適切にモデリングされたデータは、構造解析や仮想実験、さらに治工具設計をもデジタルデータとして情報共有することを可能にし、設計初期の段階から設計検討、改良、

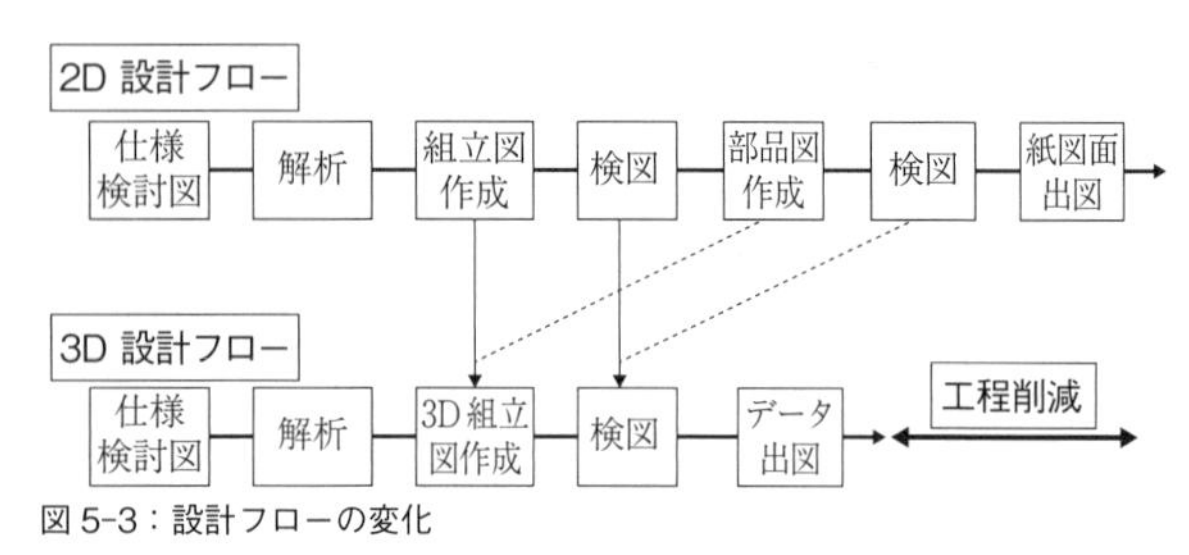

図 5-3：設計フローの変化

確認といった作業を前倒しで進めるフロント・ローディングや、開発過程の初期段階から設計や生産管理、製造、品質管理といった各部門間と情報共有を行いながら、複数の工程を同時に進めていくことで開発リードタイムの短縮やコスト削減につなげるコンカレント・エンジニアリングといった生産前の密な事前調整を可能にしている。

しかし一方で、デジタル世代のものづくり観にはＩＣＴへの絶対的信頼が前提になっていることから、ＰＣ内で完結する様々な実験は基本的にソフトウェア性能の許容範囲内で行われる。つまり、現場現物志向のエンジニアのように、「何としても競合他社より一歩先んじてやろう」という発見・挑戦意欲が育ちにくく、エラーが出ることを承知で「とにかくやってみる」ではなく、与えられた範囲の仕事を粛々とこなす「創意工夫」をそれほど伴わない、あるいは「創発に期待しない」といった「限りなく余白の小さい」スタティックなものづくりに傾倒するなど、部分最適志向のものづくりが目立つようになっている。

†小関智弘の指摘

五〇年以上旋盤工として生きた小関智弘（こせきともひろ）は著書『町工場巡礼の旅』（現代書館、二〇〇二年）の中で、次のような怨嗟の声が、部品メーカーの現場では日常化していたという。

「部品加工屋はメーカーをリードしなければいけないって、ある人から教えられたんです。メーカーが設計して、こういうものを作りたいんだけれどって言ってきます。でもメーカーは、それをどうやったら作れるのかは知らないんです。常識的には、そんなの削れるはずのない素材を指定してくる。磁石が使えない材料なのに、研磨しろと言う。図面を見ただけでは、誰もできっこないようなものでも設計してくるんです」

部品メーカー側では、「現場を知らずにこの設計者はなにを考えているんだか、この頭デッカチが」と軽口をたたくようなこともしばしばあるとその心情を吐露している。

軽薄短小（けいはくたんしょう）化する製品によって加工難度は年々高まっているが、ハイテク機器を自在に操ることで本当に熟練技能は不要になるのだろうか。

筆者たちは今後ますます、ヒトに内在する知見やノウハウが重要になると考えている。なぜなら、日本のものづくりに限っていえば、大量生産、大量消費市場をターゲットとしてきたこれまでのスタンスから、「コト」づくりへと移行しているからである。

小関は同書の中で、「汎用機を知らない人が作ったソフトは使えない。鋼を削る手ごたえを実感しないままプログラムを習い、機械の操作を覚えれば一通りのモノをつくることはできる。しかし、精密に加工することは難しい。（中略）鋼でもアルミでも加工すれば歪が出る。素材そのものが持つ内部応力が外に出る。加工するときに発生する熱によっても歪は出る。それをあらかじめ予測しておかなければ精密な加工はできない。そういう目には見えない仕事こそが技能である」と指摘する。

我が国のエンジニア全般に対していえるその凄さは、「難しい仕事になればなるほど」あるいは、「チャレンジすればするだけ技術力が向上する」という考えに根ざしており、先ほど登場したスペックを決めるセットメーカーなどから依頼を受けた部品メーカーのエンジニアも、軽口をたたいて終わりではないのである。逆に「良い課題をいただきました」という具合に、どれだけ困難な仕事でもすぐに前を向き挑戦するといった、特殊な「ものづくりマインド」や「職人魂」が我が国には存在し、そこにこそ非代替的な特殊性が内在しているといえるだろう。

しかし、セットメーカー側の設計エンジニアの足がますます現場から遠ざかる近年、図面や設計指示に関する一連の構造的な問題は、単にオーバースペックな設計だけでなく、部品メーカー側にとって余計な工程や手間の発生が不要なコスト増を引き起こしているのが実情だ。たとえば許容誤差（公差）を不必要なほど狭くしたりする無駄が増加するのは、オーバースペックの典型である。

にもかかわらず、部品メーカー側では、こうした余剰コスト分を価格に転嫁することがほとんど許されず、無駄に付加価値を搾取されるといったケースも少なくない。もちろん業績好調な部品メーカーであれば、あえてこうした非合理な引き合いを見送ることは可能だが、競争力の弱い企業では目先の運転資金確保を優先するあまり、赤字覚悟でこうした引き合いにも応じねばならない事態が日常的に発生している。

また、近年の部品のモジュール化や取引上の守秘義務の厳格化によって、実際に自分たちが手掛けた部品がどのようなユニット部品に組み込まれ、またそれが最終的にどのような製品に組み込まれているのかといった情報開示における制約が強まっている。このため、製品用途を知りえないなどの理由で、これまで多くの部品メーカーが得意としてきた顧客メーカーへのコスト逓減に向けた的確な価値工学（VE）、価値分析（VA）提案が難しくなっている。

†相反するものづくり思想

こうした状況をつぶさに観察していると、設計思想のモジュール化のうねりの中でいつしか、日本の強みでもある現場に根ざしたものづくり思想が段階的に失われていくのではないかという危機感を覚える。特に、ユニークさ（固有性）という観点で両世代間のものづくり思想を比較すると、熟練エンジニアがこれまで創意工夫を重ね、試行錯誤の反復の中で確立した、「有用性のある曖昧さ」から「意義ある有用性」へと転換させる能力はけっして消滅させてはならないだろう。

一方で、現場を丁寧に歩いていると、実際にはそれほど新旧世代間の技術に対する考え方の相違を悲観しなくてもよいことがわかってきた。なぜなら、日本の技能伝承を停滞させる真の要因は、現場現物主義かバーチャル主義かといった新旧世代が用いるスキルセットの相違をめぐるこれまでの見解とは異なり、若手エンジニアにも依然、他社よりも（世界一を目指し）「ハイスペックなものをつくりたい」という技術面でのパイオニア・マインドが衰えることなく存在しているからである。相反するものづくり思想を持っているように見られていた新旧世代はともにアプローチは違えど、それぞれの時代が要請する最適な方法を用いて環境変化に柔軟に対応していたのである。

前出のバーニーが『企業戦略論』の中で、「経営資源の価値が変化する中で重要なことは、①経済価値を有するものを新たに獲得すること、②これまで有してきた強みを全く新しい方法で活用し直すこと」と指摘しているように、大切なことは、どちらかの方法論をベスト・プラクティスとして他方を否定するのではなく、両世代の知恵や技術を融合させることで両者の強みをうまく引き出すマネジメント力なのだといえるだろう。

2　差別化を生むカギ

†デジタル化の進行とプロセスの個性

こうした大きなパラダイムシフトの下、先述したように、製品は軽薄短小化が進んでおり、品質に求められる公差はプラス／マイナス三〇ミクロン以上にまで達するなど、もはや人間の熟練技能だけでは対応が難しく、技術的精度はますます高次元化している。

こうしたミクロンレベルのニーズへの対応のために、先述の三次元ＣＡＤやＣＡＥに加え、計算機援用試験・検査システム（ＣＡＴ）といったハイテク機器の積極活用抜きにはものづくりが完結しづらくなっているのが実情である。

しかしながら、興味深いことに部品メーカーでは、全体最適設計を遂行するセットメーカーとは異なり、加工難度の高い製品や部品などの引き合いになればなるほどデジタル技術の出番が減少し、逆に現場現物を基本とした試行錯誤を伴うアナログ化した仕事が進められていることが確認されている。つまり、ツールとしてのデジタル化は効率性を高める一方で、試作段階で得られる現場の知見には、PC上のシミュレーションからだけでは捉えることができない複雑かつ差別化をもたらすわずかな隙間が存在しているということがわかる。

こうしたことから、図5-4の二値論理（にちろんり）が示すように、ソフトウェア上のシミュレーションからはじき出された結果に基づいて設計を進めていくだけでは、同様のソフトを使用する競合メーカーとの間で何ら差別化要因を創出することはできなくなる。

これまで、現場現物の試行錯誤の反復の中で、限界を超える数々の価値創出に成功してきた日本の伝統的なものづくり思想はまさに、図5-4の下図に見られるような三値論理の上に成立してきたといえる。

つまり、計算上エラーが出かねないグレーゾーンでのアナログ世界の攻防にこそ、他社との差別化を実現しうる革新的技術が潜んでいることを示唆しており、同時にエンジニア自身の技術評価能力を高める貴重な「学びの道場」となってきたのである。

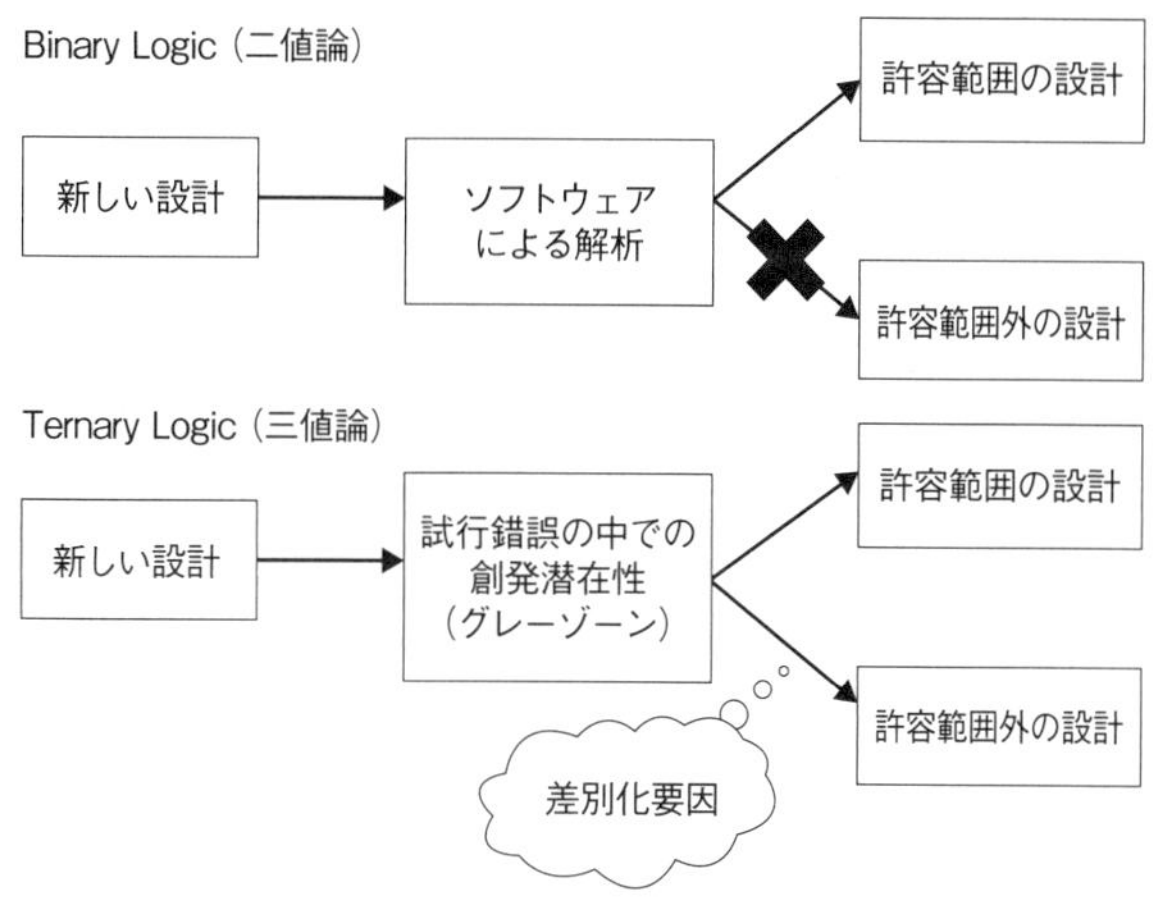

図5-4：グレーゾーンでの攻防と潜在的技術革新性との関係
出所：光山 2016

一連のV・E志向がもたらすマイナス要素は、設計業務の効率化を優先し過ぎるあまり、現場感覚の欠如を招き、何のための設計かが置き去りにされてしまう点であろう。いかにミスなくデジタルツールを使いこなすのかだけにとらわれ過ぎると、ソフトウェアのスペック制約下で窮屈なものづくりを強いられることとなり、こうした画一的な手法でものづくりを行うのであれば、将来的にも競争力を維持できるかどうか甚だ疑問だ。

たとえば、アップル社における iPhone 開発秘話についてはこれまで様々な書籍で紹介されているのでここで詳細な説明は割愛するが、個性的なものをつくる場合、そのプロセス全体に「個性」が宿り、そしてそこに「差別化を生むカギ」が内在している。

現場から足が遠のくことはすなわち、図5-5が示すように、設計エンジニア自身の自社内の「開発」「製造」「オペレーション」といった各部門が有する能力への理解や、工程間の情報共有を低下させる。現場でしか得ることができない希少性の高いノウハウや知見の獲得を促すといった、小池和男が『仕事の経済学』で指摘した「現場で育てる」貴重な機会が奪われかねない。

†部門横断的コミュニケーションの必要性

こうした事態が進むと、部門間コミュニケーションの分断や希薄化は組織内の風通しを悪くし、分業体制が確立されている米国組織で散見されるような、社員のサイロメンタリティ化（コミュニケーション不全）が引き起こすセクショナリズムの進行が懸念される。

このように、モジュール志向の強い設計はV・E志向のものづくりと相性が良い一方で、部門間のセクショナリズムを誘発させやすく、主体性や挑戦意欲を欠いたマニュアル志向のものづくり思想が今後定着することで、将来的な競争力低下を引き起こす可能性もあり注意が必要である。

日本の伝統的なものづくりにおける従来の設計作業は、ある程度の余白を残し、あらゆ

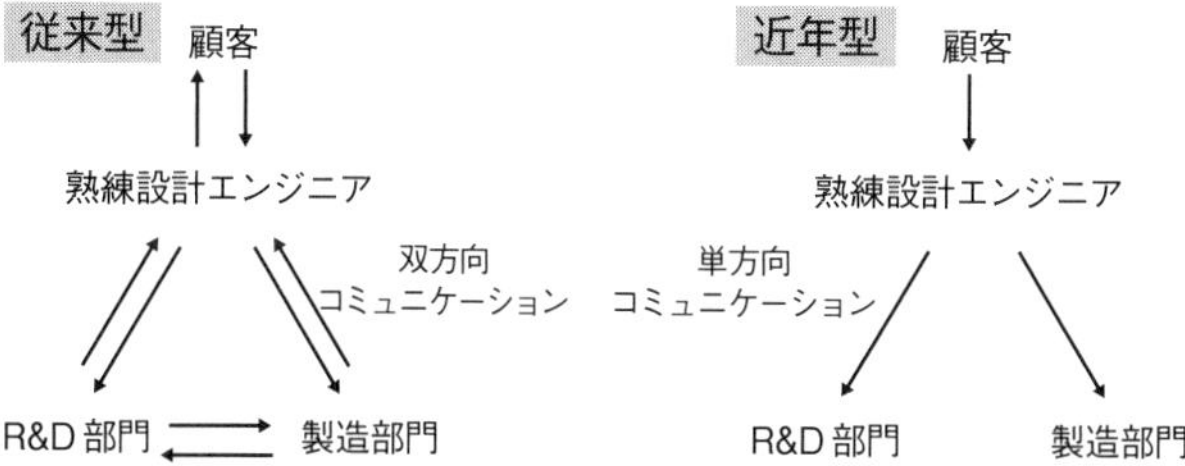

図5-5：従来型現場現物志向と近年型バーチャル志向におけるコミュニケーションの対比

る生産方法を想定しながら行われてきた。つまり、設計技術者と生産技術者は互いの能力に期待しながらシナジーを発揮してきたといえる。生産技術者は設計技術者のコンセプトの具現化に挑戦し、設計技術者は生産技術者が「最後は何とかしてくれる」という期待の上に自由度の高い設計やものづくりを実践してきた。

先述の二値論理で説明したように、そこには一定範囲内での設計に固執しなければならないという窮屈さはなく、そうしたことが数々のイノベーションを生んできたともいえるだろう。また、生産技術者も同様に、常に考え、作業に工夫を持たせるという文化が根強かったことが逆に、加工時間の大幅な短縮をもたらすなどの改善に貢献してきた。

一橋大学の青島矢一（あおしまやいち）教授らのこれまでの研究でも、三次元CADの導入効果として当初最も期待された「開発リードタイム短縮」や「開発工数削減」といった効用を引き出すためには、サプライヤを含む工程やプロセス全体を見直し、組織的な対応能力が形成されなければならないとする。そうでなければかえって設計者にタスクが集中し、三次元CADの導入が各工程間の調整業務を煩雑にさせることなどが指摘されてきた。

このように、オートメーション化や設備のハイテク化が進む一方で、部門横断的なコミュニケーションはこれまで以上に求められるであろう。むろん、ものづくりプロセスを大切にするといっても、生産性を犠牲にするということではない。それが意味することは、ものづくりプロセスにおける個性は重要ではあるが、顧客に納品する部品や製品が一つひとつ個性的であることは許されないということである。つまり、製品のバラツキを極力抑えるためには、個性的なプロセスではあっても平準化された手順でものをつくることが求められる。

「技術」は、その時代や市場ニーズの要請の中でどんどん変化して行くものであり、型にはまって与えられた仕事をこなすだけでは、いずれその企業は競争力を失うことになる。ヒトの感性や意思決定に制約を与えるソフトウェアの枠内で仕事をするのではなく、生きている技術を自在に操る主役はあくまでヒトであり、製品がますます複雑化していく現代社会において今後一層、ヒトの介入が求められるだろう。

そういう意味において、精緻なデジタルツールであっても、結局は単なるツールであり、ヒトがそれらに振り回されるのではなく、それらをよりよく使いこなすことではじめて「個性」が生まれ「差別化」を図ることができるという点を再認識することが重要であろう。

第六章

競争優位の源泉に迫る

1 不確実性への対応

†定量分析だけでは実態を把握できない

著者たちは、社会科学における研究領域において、欧米を筆頭に定量分析によるエビデンスベースが原理原則とされていることを十分承知している。他方で、少々乱暴な言い方になるが、日本のものづくりの強みを一言でいえば、「緊密な企業間連携の下、現場現物を基本に品質を工程内でつくりこむ」という部分に集約される。

つまり、製造工程の一連のフローの中で各々の企業が持つこうした固有かつ代替できない技術的ケイパビリティ（能力）や、それを支える組織的ケイパビリティを一つひとつ形式知化し、定量分析にかけることは難しく、「これさえあれば競争に勝てる」といった飛び道具は存在しないと理解することが極めて重要だと考えている。

たとえば、経営戦略分野において今も読み継がれている名著『企業成長の理論』（初版は一九五九年）の著者であるエディス・ペンローズもその著書の中で、「企業はリソースの集合体（束）であり、個別企業ごとにそうしたリソース、つまり強みの源泉は異なっている」と主張している。このように、企業の成長や技術力の蓄積には、固有の歴史背景も大きく関与していることから、企業が持つ経営資源を当然一括りにすることは難しく、また、無理やり普遍化させようとする作業（研究）も有益とはいえないだろう。

このように、現場の試行錯誤の中で創発された有形無形のリソースを、ただやみくもに統計的手法などを用いて分析にかけ、既存の学術理論に沿って考察し普遍化しようとすること自体を否定する気はないが、そうした知見が実務家にとっても有用なものかどうかは疑わしいと言わざるを得ない。

†二次元（アナログ式）図面こそが差別化を生む

部品メーカー間の技術的調整の中で用いられる製作図面には、通常二次元あるいは三次元データのいずれか、またはその両方が用いられることが多い。たとえば、プレス加工メーカーなどでは二次元データのみで仕事が進められていることも多く、自動車産業では三次元データ、機械、電気・電子部品産業では二次元と三次元データの両方を使用することが多い。

このように、デジタル技術がますます進む一方で、未だに二次元設計図面に基づき、仕様検討やＶＥ提案が行われているのが実情である。その理由の一つに、二次元図面によるスペック表現には、図の側面に寸法などの詳細を書き込むことが可能なことに加え、それでも表現しきれない部分には断面図や投影図を用いることで熟練技が反映させやすいことも関係している。

†イタリアの事例とデジタル技術

こうした事実は何も中間財部品産業に限ったことではない。たとえば光山の取材経験(二〇一八年九月)では、世界のファッションシーンを牽引するイタリア最先端の街ミラノのアパレル業界においても同様のことが確認できたので、その一端を紹介する。

アパレル業界では基本的にデザイナーがコンセプトとなるデザインを起こし、次にパタンナーと呼ばれる技術者が実際に裁断できるよう型紙を作成している。昨今、アパレル業界でも型紙であるパターンの作り込みに際し、パタンナーが曲線の多い難しいデザインを三次元CADを駆使しながら図面を作成し縫製(ほうせい)が行われるようになっている。

しかしながら、奇抜さや複雑さの目立つデザインであればあるほど、デザイナーの頭にあるコンセプトをデジタルツールを介してパタンナーと共有することは難しい。つまり、デザイナーの頭にあるディテールは、ソフトウェアなどに容易に形式知化できるものではないことを示唆している。

つまり、高度なパターンメイキング技術を有するパタンナーといえども、デザイナーから渡される図面については未だ、二次元の紙図面でのやり取りにならざるを得ないのが実情である。当然、図面上にはところ狭しと、デザイナーによるコンセプトや指示がぎっしりと書き込まれていることが多い。

ということは、差別化をもたらす斬新で個性的なデザインが仕上がる過程においては、最先端のデジタル技術を駆使するだけでは補うことができないアナログ的な知見を巧みに使いこなすことが極めて重要だ。差別化をもたらすということは、つまり、他社（者）が容易に模倣できないことを意味している。裏を返せば、三次元化が容易なデザインであれば誰にでも模倣できてしまうことを意味している。細かなデザインや色といったデザイナー独自の仕上がりやイメージはやはり、二次元で表現する以外にないのである。

†不確実性に対応するために

製品が高度化すればするほど高い技術が求められる。そこには、前出の小池が『日本の雇用システム――その普遍性と強み』（東洋経済新報社、一九九四年）の中で繰り返し指摘してきたように、「普段とは違った作業」への対応が肝要になる。

製品の高度化は最新設計ソフトやハイテク工作機への依存を高めるであろう。しかしその半面、コンピュータによって処理できる標準化した仕事以外に、アナログ的アプローチでしか処理できない仕事も未だ数多く残っているのである。

その結果、やはり「普段と違った作業」が常に存在する。そのことを考えると、製品やそれに伴う設計が高度化すればするほど、標準化できないイレギュラーな作業や製造技術上の課題も当然増える。

このように、差別化をもたらす作業の中心には、アナログ化せざるを得ない難しい状況に現場が常に対峙しているという事実がある。こうした変化への対応はすなわち、不確実性への対応とも言い換えることができる。その上で、不良を減らし生産性を高めていくには、その機械特性やメカニズムをよく知ることが不可欠であり、そこに近道はない。つまり、現場現物をベースにした試行錯誤の積み重ねの中で泥臭く学習することでしか、不確実性への対応は難しいということを示唆している。

たとえばそれは、自動車業界においても同様だ。どれだけデジタル化が進もうとも、やはりクレイモデルをつくり実際の質感を体現してみないことには、本当にそれらの設計がデザイナーの意図したものかが判断しにくいことと整合しているのである。

†現場現物が先である

「ヒト」の介在による「曖昧さ」を極力抑え、平準化、効率化向上に主眼を置いたCADやCAEなどは、実際一九八〇年頃から試験的に広く使われてきた。当時の使用はあくまでドラフターの延長線上に限定されていたものの、大手メーカーの現役熟練エンジニアを中心にその使用頻度は段階的に引き上げられ、一定の評価がなされてきたことは意外と知られていない。

一方で、熟練のエンジニアとV・E世代との相違点を挙げれば、企業規模の大小にかかわらず熟練設計エンジニアの多くは常に現場に足を運び、製造部門のエンジニアとの直接的な情報、意見交換を通じて「技術感」を養うことに余念がなく、基本に忠実な設計スタンスを踏襲していたといえよう。

いすゞ自動車で長年設計課長を務めた久保田公氏は、「木をスケッチするとき、遠くから森を眺めているだけでは木を描くことは困難であり、木を上手く描くには実際に目の前まで近づき、手で触れ、間近でしか認識できなかった木目(もくめ)や枝葉(えだは)の構造を知ることが重要である」と指摘する。

つまり、熟練設計エンジニアに定着する二次元図面を見て三次元(立体)がくっきりイメージできる能力や、品質への絶対的な確信をもたらす「技術感」は現場経験を通じることでしか得られない経験則の上に成立し、またそうしたものづくり哲学がDNAとなって長い時を経て定着したのだといえる。

詳細スペックを二次元CADに落とし込む過程で、三次元モデルを想像しながら二次元平面、断面図を展開して実物に落とし込んでいくアプローチ方法は、四半世紀以上にわたり踏襲され進化を遂げてきた。デジタルツールを積極的に活用しながらも、現場現物という伝統的ものづくり思想が維持されてきた日本特有の背景には、激動の時代を生き延びるために「高品質」「低価格」に加え「省エネ」「生産効率向上」というトレードオフを超越する以外に突破口を見いだせなかったという事情があった。これが幸いし、いつしかそうした考え方や行動様式が差別化をもたらす原動力となってきたことはまさに、ボーダーレスな市場環境という激動の時代を生き抜く我々にとって大いなるヒントであることは間違いないであろう。

2 能動的思考力

†競争力のある企業の共通点

日本メーカーの多くはこれまでも、経営の安定化に向けた様々な取り組みを行ってきた。

中でも、客先への御用伺いや新規顧客開拓に際しては国内外の展示会に出展するなど、コスト的、時間的制約の中で自社をアピールすることに注力してきた。さらに近年では、英語や中国語でも自社のHPが閲覧できるような工夫を施し、またYouTubeや各種SNSを積極活用することで情報を発信し広報活動を行ってきた。

ただし、そのこと自体はあくまで広報(広告)であって、出会いの場を作るという大切な取り組みではあるが、現実の受発注というリスクを背負うには、「ハブ」組織が中心となって工程全体の流れ(たとえば、プレス、切削、熱処理、メッキ……)全体の円滑化と不具合のリスクを最小化する必要がある。

経営資源に制約のある部品メーカーにおいてはとりわけ、社員数の多少にかかわらず、企業にとって最大の経営資源である社員一人ひとりが有する能力を無駄にすることなく、いかにヒトという貴重な経営資源が有する能力を最大化させるかに注力してきた。

これまでも様々な書籍で紹介されてきたように、競争力を発揮している企業にはおおよそ共通して、社員各々が経営者意識を持って日々の業務にあたっているという事例が見られる。精密さや生産性向上による品質・費用・納期(QCD)の精緻化がますます求められる近年、ICTの有効活用は一層重要になろう。

しかし、人の介在による曖昧さやコストを最小限に抑えるためにデジタルツールを活用することは大切であるが、それらのツールを動かすのに必要な知見は未だ、機械やロボットからではなく「ヒト」からもたらされていることを忘れてはならない。

製造現場で日々生じる不具合や不良発生時の迅速で的確な対応力は、実際に想定外の事態に直面し、そこから学ぶことでしか養うことができない。よって、「ヒト」を起点とした技能や知恵をすべてデジタルツールに依存しようと考えることは得策ではない。

この点は、先述の小池の「知的熟練論」が指摘するとおりである（小池二〇〇〇）。エンジニアはトラブルや顧客からのクレーム発生時に自身の技量、技能を省察し、ケイパビリティを磨く貴重な学習機会を得るのである。つまり、具体的経験の中で「ヒト」は成長するのだ。

†「デザイン・イン」への対応力

アメリカの経営史学者アルフレッド・チャンドラーや、「経営戦略の父」であるイゴール・アンゾフはかつて、自社のリソースと競争環境とを長期的視点から俯瞰し、意思決定を行う戦略経営の重要性を説明した。こうした指摘が今なお有用であることに変わりはないが、近年の製品技術の高度化に加え、製品ライフサイクルの短縮化といった複雑な市場環境の中で、先々を見通す合理的戦略を事前に策定し実行することは困難を極めている。

こうした中、多くの企業は直面する課題に対し、社員個々のスキルアップという観点から各種資格取得などを通じて個別スキルを学ばせ、新たな経営資源として取り込もうとするいわば「部分最適型」の人材育成を盛んに行っている。

しかし、実際に競争力を発揮している企業に共通する人材育成の特徴を挙げるならば、日々の業務を単なる作業で終わらせるのではなく、社員一人ひとりに対し主体的に考えさせることに重点を置く傾向が顕著である点であろう。また、そうした企業群の特徴に注目すると、それは大企業あるいは中小企業といった企業規模とは無関係であることも併せて指摘しておきたい。

O社の「新技術を伴う新規引き合い取りこぼし」については第四章で触れた。こうした課題の克服には、単に顧客のニーズを満たす、あるいは価格的優位性を有するだけでなく、顧客企業のプロダクト・イノベーションをアシストできる「知の蓄積」に裏打ちされた設計段階からの協力としての「デザイン・イン」の対応力を有することが、グローバリゼーションの広がりの中ではますます重要な能力になるといえるだろう。

つまり、先の読めない市場のニーズに迅速かつ柔軟に対応することに加え、部品メーカーにおいてはデジタルツールや戦略的経営手法への研鑽も今後視野に入れることがとりわけに重要になるだろう。

激変する環境下において柔軟な経営を実践していくことが必須になる一方で、経営戦略の中でも創発戦略学派の代表格であるヘンリー・ミンツバーグらが提唱した「創発戦略」が示唆するように、組織は今後、長い時間軸の下で学び、そして培ってきた経験則を有効活用し、あるべき未来に向かって学習し続ける組織へと転換していくことも重要になる。

†生産設備内製力と製造技術だけでこの先逃げ切れるのか?

読者の中には、「生産設備内製力」という経済価値を自力で生み出せないにせよ、今後、新興国のメーカーがM&Aなどの手段を用いて自社内に物理的な生産設備を内製できる力を取り込むことができれば、これまで論じてきた日本の競争力は失われてしまうのではないか、と疑問に思われるかもしれない。

しかし、筆者たちの現在の見解としては、すぐにそうしたことが起こるとは考えていない。技術者、技能者の一人ひとりが持つテクニックは、人の人生同様、様々なバックグラウンドの下、固有の経験を通して培われた学びや種類の異なる成功、失敗を重ねる中で創出された強みに他ならないからである。

ここでのポイントは、異なる企業がまったく同じ生産設備を購入し、同じ部材を用いて生産を行う場合でも、それらの設備や素材をどう使うのか、といった経験値や技術的ケイパビリティ、あるいは組織能力に内在する知見の強弱や実行力によって仕上がりや生産性に違いが出てくるという事実である。

特に、M&Aにより物理的設備や人を丸ごと獲得した場合でも、短期的にシナジー効果を発揮させることは容易ではない。なぜなら、自社の既存技術と新たに獲得した技術に加え、ものづくりに対する考え方が異なるチーム同士を融合、調整していくことは、机上で考えるよりもはるかに困難であり、こうしたことは、海外の現地法人への技術移転がなかなか進まない事実を見れば理解しやすいのではないだろうか。

たとえば、技術移転においては、技術を伝える側が発する「教える」行為や方法と、受け手の「学ぶ」姿勢や熱量が必ずしも比例しないことも多い。「受け手」側のケイパビリティを進化（深化）させていくためには、様々な環境変化や困難な課題に直面する中で、適宜、主体的に知見が養われなければならず、それには一定の時間を要する。また、日々の業務の中で培われていく経験値や独自のものづくり思想を世代を超えて長期的に踏襲、維持、発展していかなければならない難しさも存在する。

それは、国内での技術・技能の伝承の難しさと共通するといえよう。

3 「主体的に考える」ということ

†事物はまねやすく、精神はまねにくい

アジア地域のローカル企業に多く見られるように、経営者によってトップダウン経営が行われている企業の場合、経営者の考える高次の発想や意図をそのまま組織全体に共有することは難しく、社員一人ひとりの能動的な「考える」能力を育てることは非常に困難である。

この「考える」ことの重要性については福沢諭吉も同様に、明治期の文明開化という歴史的転換期に重要なことを『文明論之概略』（岩波文庫、一九九五年）の中で次のように記している。

> 文明には事物面と精神面があるが、事物はまねやすく、精神はまねにくい。これをもとめるために、難を先にして、易を後にし、まず人心を改革して政令に及ぼし、ついに有形のものに至るべし。

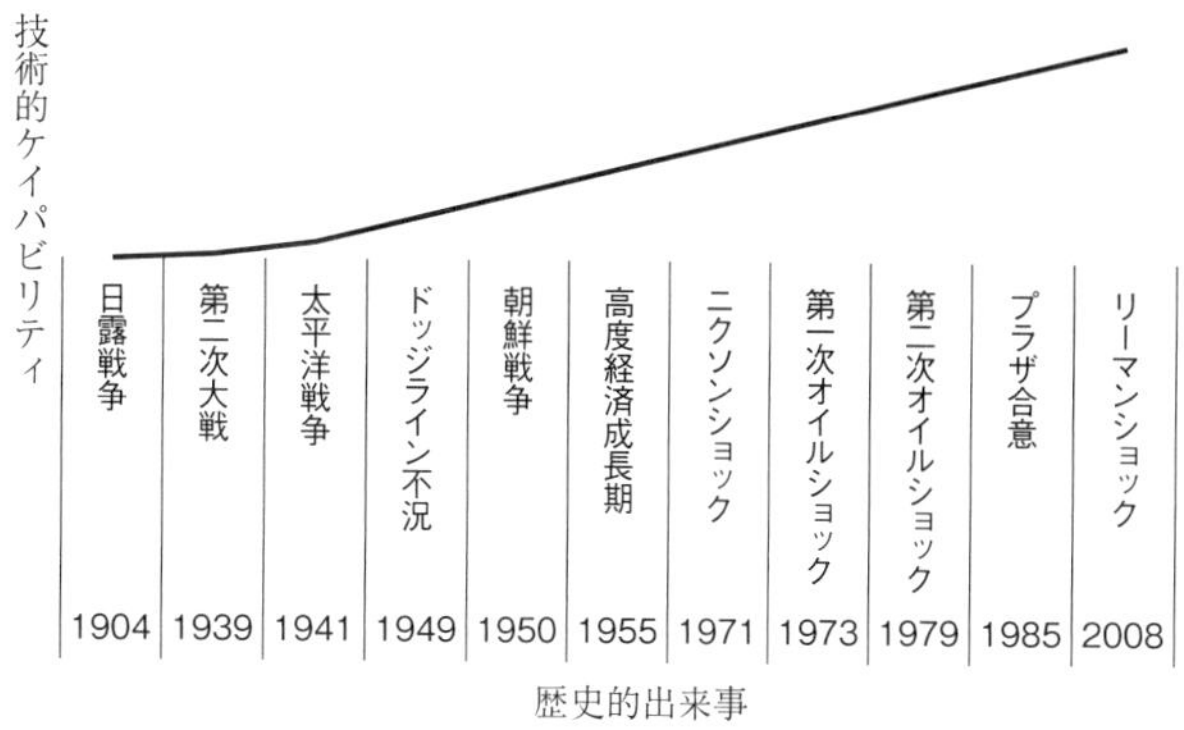

技術的ケイパビリティ

1904	1939	1941	1949	1950	1955	1971	1973	1979	1985	2008
日露戦争	第二次大戦	太平洋戦争	ドッジライン不況	朝鮮戦争	高度経済成長期	ニクソンショック	第一次オイルショック	第二次オイルショック	プラザ合意	リーマンショック

歴史的出来事

図6-1：歴史的出来事と技術的ケイパビリティ向上の相関図
出所：光山 2015

こうした指摘からもわかるように、「ヒト」に宿る精神に、単に生きるための手段として「働かされる（labor）」という意識ではなく、規律に沿って能動的に「働くこと（work）」に裏打ちされた就業意識から誘発される積極的なマインドが定着しない限り、長期的な競争優位性を構築することは容易ではない。

†競争優位をもたらすもの

たとえば、図6－1が示すように、日本はこれまで、様々な歴史的出来事や経済的逆境に対しても、QCサークルに代表される全社員参加型の創意工夫によって国際競争力を維持してきたことはすでに述べた。

また、近年の東アジア諸国のメーカーの台頭による低価格競争にさらされても、価格以外の使いやすさや安全性、信頼性といった付加価値を創出させながら、一層の生産性向上に向けた先進的取り組みが続けられてきた。

不確実性の高い競争環境において、日本の部品メーカーが今後も競争力を発揮するためには、高度経済成長期下でもたらされた「生産設備内製力」という有形の経済価値と、「製造技術」という無形の経済価値を絶えず学習によってアップデートさせていくことが今後ますます重要であり、この点は、楠木健（くすのきけん）らが組織能力醸成の中で注目した「技術者間能力の融合による新たな知識創出が競争優位をもたらす」と指摘した点と整合的である（楠木、野中、永田一九九五）。

また、『最強組織の法則――新時代のチームワークとは何か』（徳間書店、一九九五年）の著者である経営学者のピーター・M・センゲも、企業の競争優位の獲得には個人と組織の双方の主体的経験の咀嚼（そしゃく）に基づく継続的学習が重要であると指摘しており、また、競争力維持の背後には、共通のゴールを共有して個々が能動的に考えていくことの重要性があるということにも言及している。

つまり、社員一人ひとりが自分に与えられた仕事や役割を深く理解し、「与えられた仕事を再定義できる力」や「考える技術力」を日々向上させていけるような風通しの良い組織体制の構築、維持も重要となろう。こうした能力構築は一朝一夕にとはいかないため、普段から「帰属意識」や「愛社精神」を社員が感じられるような雰囲気づくりに努めることも大切であり、またそれを実行するうえでも、現場に精通し人望に厚い優れたマネジメント力を持つ人材も求められるだろう。

日本はかつて、好景気に沸く市場ニーズに応えるべく、高度経済成長期下で数々のトレードオフを克服してきた。中でも、トレードオフの性質上実現が難しいと考えられていた「高品質・低価格」は、「創意工夫」の精神がもたらした離れ業であり、その奇跡の源泉は人にとって辛く、ともすれば億劫（おっくう）になりがちな「考え抜く」という地道な積み重ねであったといえよう。

†競争力の源泉を再考する

これまで議論してきた概念の重要性についてまとめると、メーカーの自律的、持続的安定経営の実現には、「生産設備内製力」や「製造技術」というスキルとしてのケイパビリティが重要であることに加え、そうしたケイパビリティがどういう経路をたどって現在に至ったのかが決定的に重要であると理解することがポイントになるだろう。

図6－1に示したように、これまで緊迫する様々な歴史的出来事に直面するたびに途方に暮れ、格闘し続けていく中で、事後合理的とはいえ「生産設備内製力」あるいは「製造

技術」というケイパビリティが創出、強化され、それらが他社との差別化を実現するために有効であった。

つまり、柔軟で迅速な対応力が求められる近年の難しい競争環境下において、単に設備メーカーをM&Aによって傘下に収め、物理的なキャッチアップに終始するだけでは、長期的に競合他社との差別化を推進していくのに十分な強みにはなりえないことがわかる。

一方で、これまでは難しかった「高品質製品の安定供給」という決して容易に構築することができなかった技術力は、昨今の技術革新によって手の届くものになろうとしており、従来のように熟練技能に依存しなくてもある程度のレベルのものづくりが可能になりつつあることは否定できない。

しかし、これまでも述べてきたように、同じ生産環境であっても、作り手の能力(製造技術)次第で品質はいかようにも変化するものであり、実際の製造現場では日々、マシンの不具合、材料の不良、製造工程間のトラブル、あるいは顧客からの急なコスト低減要求といった様々なイレギュラーな状況に直面し、その都度効率的に対応することが求められている。

つまり、製造現場で稼働する様々なFA機器や複雑な製造装置を円滑に操作し、安定した製品供給を実現するためには、消費者には想像もつかないほどの不断の努力が「深層の競争力」となって日々蓄積されており、単に製品の見栄えや価格といった一面だけをとらえ、その企業のものづくり力や業界全体を否定的に推し量ることは拙速だといえるだろう。

長期的な視点で競争環境を俯瞰すると、想定外の環境の変化に直面しても早期に改善あるいは代替案を検討、実行できるような高次のものづくりケイパビリティがあるかどうかが競争力を左右する分水嶺になるのであり、そこには簡単には揺るがない競争力の源泉が宿っているのである。

我が国の中小を含むメーカーの多くは高度経済成長期前後という厳しい時期に設立された。その歴史的偶然が、会社や社員が一丸となって能動的に考えること（改善意識）をベースに、気の遠くなるような試行錯誤にも耐えうる粘り強さを育んできた。そして、それが独自の技術的蓄積や組織能力を大きく向上、発展させてきたといえるだろう。この時期に形成された希少な能力は、日本という固有の歴史的経路に依拠した独自のケイパビリティであり、そこには模倣が困難な非代替性が宿るといえるだろう。

つまり、今までもそうであったように、将来的にどれほど外部環境が変化しICTが進歩しようとも、経営層（意思決定者）による現場との一体感が重視され、これまで蓄積してきた我が国固有の「ものづくり思想」や「知見」「粘り強さ」を忘失しない限り、時間的広がりの中で構築した「先行優位」や「収穫逓増性」はより強固なものになるだろう。

すなわち、日本の先人から受け継いできた固有で非代替的な強みを見失わない限り、我が国のものづくりが色褪せることはない。

終章 ものづくりの取引関係の再編期

1　人間とAI

†異議申し立て

第一章で述べたことの繰り返しになるが、企業の品質とは、資本金や従業員数あるいは時価総額といった規模の大小で決まるものではない。継続と利益が基本であり、それを維持するための経営姿勢こそが「評価対象」であってもよい。本書が全体として、現場の事例にこだわったのはそれゆえである。

そうした現場からの発言は、近年の「AI（人工知能）」や「IoT」、あるいは「インダストリー4・0」といった、言葉の定義すら不明確で、恣意的に語られる「技術領域」への異議申し立てでもある。もちろん、現場は常に「変わるもの」と「不変」なものとによって形成される。技術も技能も、根拠地を持ちつつも、絶えず自己革新を遂げることによって生き延びる。それは「取引関係」も同様である。

私たちは現場を歩きながら、いわゆるB to Bによる、ものづくりの取引関係が再編期にさしかかっていると感じた。かつての言葉では「下請け」だったが、二〇〇〇年前後から、ティア1（一次取引メーカー）、ティア2（二次取引メーカー）という呼び名に変わった。その原因は、技術革新の多様化とグローバル化により、昔風の「系列」や「下請け」という理解には収まらない取引が増えてきたからである。

むろん旧来のままの取引もあるが、一九九〇年代の初頭からの日本経済の長期停滞のなかで、生き残った企業（ティア1、ティア2、ティア3）の製品開発力や工程改善能力、総じて技術力が高まると同時に、中堅企業や小企業のASEANなどへの海外進出による取引先の多角化と、それぞれの「（企業）情報の蓄積」の飛躍的発展により、取引関係の再編の波が急速に高まっているのだ。

一九九〇年代前半までは、中間財（部品や素材）取引（B to B）の多くは、「系列」による取引や、固定的・慣行的な長期取引という関係の中で行われてきた。またその取引の多くは、発注側による一方的な「期待価格」（要求価格）の提示による取引であったり、あるいは入札（相見積もり）であったりした。

もちろん、単なる一方的な受発注ではなく、受注側の技術的な提案や、受発注の際の「摺合せ」は、日本のものづくりの最も重要な一側面であったが、特にティア2、ティア3といったポジションの企業は、「技術さえあれば仕事はくる」し、「営業活動が不要」なため、「どんな無理でも聞く」という経営姿勢が多かったことも事実である。

しかし、そのような取引は、技術や技能という付加価値生産性の実質的根拠が価格に反映されない不合理な面が常にあった。それが変化してきたのは、二〇〇〇年前後からである。本書で紹介した、素材づくりから、大物部品の鋳造加工や小物部品の微細加工までを行う企業が、新たな取引のマッチングの主軸（ハブ）として登場してきたからである。

†技術は基本的にアナログなもの

ただ、グローバル化が一般化した今日の経済環境のなかで、私たちが注意を要するのは、そもそも、その技術や技能というものが、それぞれの国や地域のもつ「歴史経路」によって「形成される内実」が異なり、そのことにより製品開発力や差別化の方法論も異なるという事実である。それは「比較優位」という概念の根拠のひとつでもある。

なぜ、今さらそれを指摘するのかというと、日本のそれこそ「伝統」の一端ともいえる「翻訳文化」の氾濫が、現場とは無関係な議論を一般化させるからだ。それは「アメリカでは……」「ドイツでは……」という「出羽守」による、事実と異なる「話題先行」および「誇大表現」が、その結果として前述のＡＩ論やＩｏＴ論となっているからである。断言しておくが、「人工」の「知能」などというものはない。それは、あまりに多義的かつ無限定な言葉である。

「知能」というのは、価値判断と目的設定、行動規範を自ら考え、決定するものであって、各種端末を媒介とする「情報処理のアプリケーション」は、それがどれほど精密で複雑なものであっても、単機能で使用目的の限られた「用具」であり、「知能」ではない。たとえば囲碁や将棋のマシンは、単能機のロボットであって、工場で昔から開発されているロボット（自動機）の一種である。

私たちが留意すべきは、開発されたソフトや端末は、あくまでも開発を意図した当事者の目的意識と能力によって限定されているという事実である。ディープラーニングなどと主張する向きがあるが、囲碁や将棋のマシンは、工場の塗装や溶接のロボットと同様に、他の用途には使えないことははっきりしている。

ただ、「インダストリー4・0」に代表される「技術革新」の国際的潮流を点検するために、若干の国際比較をしたが、私たちは、アメリカに関してはこの本では必要最小限に触れるにとどめ、日本とドイツ、ASEANとの比較を中心とした。それは日本との初歩的、基本的な比較すら手薄な国々だったからである。

結論としていえることは、技術や技能というものは、基本的にアナログな努力の積み重ねであって、あらかじめ「ビッグデータ」があるわけではないということだ。たしかにエレクトロニクスの領域で、情報処理、通信、電子部品、コンピュータ、各種ソフトウェアといったものが、どんどん深化（進化）している。しかし、その進化過程はアナログなものである。

†職場の日々の問いかけを考える

たとえば、現代技術の核心を担う半導体の製造装置は「ナノ」の単位で精密さを争っているが、その基本は、相変わらず工作機械の進化によって支えられている。かつてはどの国や地域でも、工作機械のレベルがその国の技術のレベルを決めるといわれていた。しかし、グローバル化は国境を超え、工作機械も必要なものは世界中で求めることができる（ただし、前述のように「ブラック国」などを除外する取引の軍事的な制約などはある）。

しかし一般的には、たとえばＡＳＥＡＮ諸国では、上級機は日本製、中級機や下級機は韓国・中国製と使い分けされている。ここでは、とりあえず工作機械の歴史を簡単に振り返ってみよう。まずは「精密さ」の歴史を知る必要があるからだ。特に現代の医療機器などの先端技術は精密さ抜きに成り立たない。

たとえば、工作機械の基本である旋盤（せんばん）は元々古代エジプトで発明されたということだが、現代においては一八世紀の終わりに、イギリスのヘンリー・モーズリーという一八歳の若者による旋盤の開発が「工業時代の母」となったという物語がある。モーズリーの機械加工は一万分の一インチ（約〇・〇〇二五ミリメートル）という公差であったという（サイモン・ウィンチェスター『精密への果てなき道――シリンダーからナノメートルEUVチップへ』梶山あゆみ訳、早川書房、二〇一九年）。

中沢は一九九〇年頃から工場の聞き取り調査をしていたが、超精密である様子を言い表すには「ミクロン台の加工」という表現が一般的だった。現代のマイクロメートル（〇・〇〇一ミリメートル）である。つまり、モーズリーの精密さは現代の機械加工でも通用する素晴らしいものだった。

しかし、今日のマイクロプロセッサは一メートルの一〇億分の一、つまり「ナノ」の世界に入っている。現在では精密さはそうした単位の世界まで進んでいることが理解できる。それが、精密なセンサー技術、画像技術、検査技術、制御技術、そして加工技術を支えていることもわかる。しかし、その先端技術を生きている人々は、その「精密さ」については語るが、それが「知能」であるとは言わない。また、あらゆるものがインターネットにつながる（IoT）、などとも言わない。

インターネットの世界には既知の情報はあるが未知の情報はない。また、個人や法人が秘匿する情報も当然、そこにはつながっていない。技術開発をインターネットに問い合わせることはできないのだ。

この本は、そうした「先端」に関しても若干は触れているが、多くは地味な日常の職場の技術を対象としている。現在私たちがどのような取り組みを必要としているか、が職場の日々の大切な問いかけであるからだ。

ということで、私たちの日常の暮らしと仕事に関する探索により、現代の技術と市場の現場を明らかにしたいと考えた。

2 組織能力はどこから生まれるか

†「組織能力」とは

技術と市場は常に変化する。変化の要因はいくつもあるが、近年でいえば、三・一一(東日本大震災)のような自然災害やリーマンショックのように、差し当たっては個々の企業や消費者にはどうにもならない変化はもちろんある。

しかし同時に、個人も法人も、「変化」に対して積極的に対応することにより、大きなフロンティアを開くことは可能である。むろん「経営環境の変化」によって、市場から退場する企業も無数にある。

しかし冷静に見ていると、個人も法人も、順風満帆な日々よりも過酷な時間を過ごすときの方が、自ら成長のための努力をするようである。当然のことだが特段の努力をしなくても利益が上がり、経営も暮らしも成り立つなら多くの人はこれを是とする。しかし、企業の競争力を長期にわたって観察すると、企業ごとに組織としての「日常」の内実が異なっていることがわかる。

たとえば、景気循環はどの企業にも平等に訪れる。しかし三〇年、五〇年といった時間幅の中で同業他社の衰退と成長を比較すると、堅実な成長や飛躍的な発展を遂げる企業と、衰退する企業あるいは停滞を続ける企業、そして大きく転換を遂げる企業、といった多様な軌跡が見えてくる。一言でいえば、それが「組織能力」(藤本隆宏、二〇〇三年)の差である。私たちに必要なのは、どのような産業であろうと現状を改革し、新たなものをつくりだす組織能力の獲得である。

†「工業」なしに「情報」は成立しない

本書は、中小・中堅企業を主な対象として、数十年といった時間幅で、新しい「技術」と「市場」を創り出した事例を探索しつつ、今後もくり返しやってくるであろう「環境変化」に立ち向かう方法論を探ることを意図したものである。中小企業を中心としたのは、世の中の大半は中小企業であるが故だ。

ただ、「市場に焦点を当てる」といっても、本書はいわゆるBtoB（企業と企業）を対象とするものであって、一般消費者向けの「完成品」（最終財）を取り扱う、BtoC（企業と消費者）に関しては、部分的に触れるにとどまる。

とはいえ、BtoBとBtoCは密接というよりも、連続した「流れ」の中にあり、分離しているものではない。C（消費者）に向かっての流れは、「市場の要望（欲望）」あるいは「顧客の創造」という動機によって、CからBへと逆流し、それがBtoBのマーケットをかたちづくる。

実はこの現象は、他のテーマでも見られる混乱や誤解とも重なる。ビジネスジャーナリズムで日常化している「出羽守」の主張がその典型である。たとえば、彼らは「「アメリカでは」製造業はもうとっくに衰退しており、金融や情報といったビジネスが中心となっているので、日本もいつまでも製造業にしがみついていてはいけない」といった議論をする。しかも、ビットコインなどの登場を、製造業衰退論の根拠にしたりする主張があることに驚く。

また、たとえば「金融市場やサービス業の発達が製造業の衰退の原因である」と主張したりする論者もいるが、それは単に産業の連関がわかっていないだけである。

小売業を例にとってみよう。スーパーマーケットに並ぶ冷凍食品やレトルト食品は、すべて、そのための「製造設備」によって商品化されている。肉、魚、野菜、そしてその加工。各種香辛料の添加からパッケージの流れは、すべて製造業の創意工夫が担っている。あるいは街のレストランやラーメン屋、うどん屋などの特にチェーン店は、製麺機を中心として、食品関連設備設計・製造のメーカーに「調理」部門の多くを依拠している。農業にしても、無数の農機具や化学製品により成り立っているし、漁業も、造船や魚群探知器に代表される無数の工業製品とともにある。

もちろん、「モノ」を運んでいる流通の基本手段であるトラックなどの配送用車両もすべて工場生産された「モノ」であり、集約された「モノ」を方面別に仕分けする「ハブ&スポーク」のハブの「仕分け設備」もむろん工業製品である。

もっと簡単な例を挙げれば、私たちが日常的に利用する美容院や理髪店は、美容師や理髪師の「腕」(技術)のみで成り立っているわけではない。そこで必要とされる椅子や洗髪の設備、ハサミや櫛(くし)を始めとする各種の器機、そうした工業製品を上手に利用することによって成り立っている。その「上手に利用する」ことが、まさに「腕」なのである。

第三章と第四章で詳述したように、工場の工程も同様である。モノをつくるとき、製造設備を自分で構想(設計)し、他社と異なった工程をつくりこんでいく作業の流れが差別化を生み出し、付加価値を生み出す力の根源の一つである。

金融の世界にしても同様である。最終的には現実の実体経済で「資金需要」があるかどうかが問われる。それは基本的には第一次産業、第二次産業、第三次産業の「実需」が基礎となる。日本の一九八〇年代後半のバブルや、二〇〇八年のリーマンショックに代表されるような、虚構と幻想に支えられた資金需要が破綻するのは、実需を金融が無視した時に始まる。

また、二次産業が一次産業を代替したり、三次産業が二次産業を代替したりすることはない。むろんそれは、一国内で考える必要はなく、国や地域ごとに「比較優位」があるので、グローバルな視点が必要である。巨大な内需を持つアメリカや日本は、世界の約二〇〇の国や地域の中ではむしろ例外的な国だが、そのことが理解できない人たちは「アメリカでは」という議論を振りかざす。

一九七〇年代から八〇年代に、アルビン・トフラーという人物の主張がマスコミを席巻した。それは農業革命、産業革命に次いで「情報革命」、つまり脱産業社会がやってくるという主張だった。

単に新しい産業が成長し、かねてからある産業が経済全体の中で占める割合が相対的に小さくなるというだけの現象であるにもかかわらず、産業そのものが「代替される」かのような主張だった。そこには「工業」なしに「情報」は成立しないという単純な事実が抜け落ちていた。たとえば、「パソコン」そのものは典型的な工業製品である。

†シンギュラリティはやってこない

現代における同様の主張が、「インダストリー4・0」であり、「IoT」であり、「AI」である。本書は、それらの「用語法」が部分的に事実を伴っているにせよ、どのように虚構で誇大であり、どのように歪んでいるかといった事実を明らかにしたと思っている。「大切なことは事実である」という方法論を私たちは選んでいる。それは現場を訪ね、確認する作業を必要とする。とはいえ、モノをつくるという工程（流れ）は地味であり、「シンギュラリティ（技術的特異点）」論のように人類史を塗り変えるというような、マンガの世界のように面白いものではない。繰り返し作業や、慣れた取り組みがほとんどである。しかしその「繰り返し」や「慣れた」ことでも、必ずいつもと「異なったこと」「不意の出来事」が伴っている。

そのようなことに対応するためには、多くの仕事は五年、一〇年といった経験の積み重ねを必要とする。つまり一人前になるには、働きながら沢山のことを覚えねばならないのだ。マニュアル通りで、いつもと異なった出来事が生じないのであれば、それをロボットに置き換えることもできる。しかしロボットが設計・製造されても、現場に導入されると、絶えず「思いがけない」ことが起こり、流れを止めてしまったりするものである。

それは経営も同様である。人をどのように育てるか、製品を送り出すためにはどのような工程とその改善を必要とするか、あるいは製品そのものの開発力はどのようにして獲得できるのか、取引先の開発とその継続をどのようにして自らのものとするかといった無数の事柄の連続を前にして、「AIで……」とか「IoTで……」などといった言葉はほとんど意味を持たない。

それは、ロボットの開発現場などでの苦闘を見ていれば、すぐにわかることだ。AI論者は大量のデータ処理を素早く処理することが可能になったことを誇るが、データを集め、データを処理する「目的意識」あるいは判断モデルはAIが担うわけではない。

ロボットの開発は、それを必要とする人間が発意するものである。つまり、誰が何を必要とするか、という「価値観」と「目的意識」によって決定される。ロボットが何をつくりたいと発意することはない。すべてのロボットが単能機であるのは、それゆえである。たとえば、「お掃除ロボ」に「今日は部屋の掃除はいいから庭の草むしりをせよ」といっても無理である。囲碁や将棋にはルールもデータもあるが、「むしるべき雑草」というデータはない。むろんそうしたものは工場では何の役にも立たない。大切なのは目的の設定なのである。

実際に工場に行けば、そうしたことはすぐに判る。切削のマシン、塗装のマシン、組み付けるマシンは、それぞれが代替できない。仮に「複合機」が発達しても、それが「自ら新規の開発を考える」ことはない。つまり、ＡＩが人間を超えるシンギュラリティなどやってこないのは当たり前である。

私たちにはまず、とても単純な日常の風景をよく確かめることから始めることが必要なのだ。

あとがき

私たちが二人で訪れた日本国内とＡＳＥＡＮを中心とした諸国の工場の数がどのくらいになったのかは、まだ数え直していない。一緒に所属した福井県立大学の地域経済研究所が、東南アジアを中心としたグローバルな「地域」を研究対象とすることを求められたため、公立大学としては破格の研究費が予算化され、二人で、一ヵ月おきにタイを拠点に、シンガポール、マレーシア、インドネシア、ベトナム、フィリピンなどを何度も訪れ、日本から進出した企業や「ローカル」と呼ばれる、現地の人々が立ち上げた企業への訪問による聞き取りや、公的機関、日本の商社の現地責任者からの聞き取りとデータの収集をくり返した。

それは実に恵まれた贅沢な時間だった。中沢の場合でいえば、二週間に一回の大学院の授業のみで、あとは月一回の大学の運営に関する会議への出席義務があるだけだった。また、聞き取り調査を進める一方で、東京大学の新宅純二郎教授たちが主催した研究会に毎月二人で参加し、たくさんの意見を交換する機会も得た。

本書に直接かかわることとして、中部圏社会経済研究所が主催した研究会（新宅教授座長）での職場調査、及び日本能率協会のリーダーセミナーでの職場調査などの成果も反映させている。

もともと中沢の場合は、主に中小企業を訪ねて話を聞き、それを概念化するという作業を一九九〇年頃から行っていたが、かつてものづくりの中堅企業で働いていた光山の体験と重ねることによって、現場の調査はとても充実したものとなり、訪問先から「また来てくれ」という要望もたくさん寄せられた。

本書はそうした「現地・現物」という私たちの方法論の反映である。もちろん先行研究の精査は基本であり、重要である。ただ、活字という二次資料は、自分たちが見て聞いた「現地・現物」と突き合せることによって意味が深まる。

光山は「インダストリー4・0」がマスコミで猖獗を極めていたとき、「それは事実だろうか？」という疑問を抱いてドイツを訪ね、その結果、日本での報道はすべてドイツの知識人と政府が「かくありたい」とする「計画」の翻訳でしかなく、実在しないものであることをつきとめた。

大切なのは「事実とは何か」ということだ。もちろん「こうしたい」「かくありたい」

という願望は大切である。夢に向かって走ることは人生に欠かせないからだ。しかし、研究者やビジネスジャーナリズムが、「願望（夢）」と「現実」の境目を故意に曖昧（多義的な言葉の多用）にして、自分たちのビジネスチャンスを広げ「稼ぐ力」を発揮するのはいかがわし過ぎる行為といえよう。本書がAIをはじめとする「流行語」の持つ意味を強く批判したのはそれゆえである。定義できない言葉の乱用は事実確認の作業を曖昧にする。しかし現場は曖昧ではない。そこでは「精密さ」が求められる。

本書は、もともと光山のドイツ調査がきっかけとなっている。むろんドイツを含め調査は現在も続いている。本書でくり返した「固有の競争力」のステージは常にレベルアップするが、私たちの研究もそれに追いつかねばならない。またその研究は論文や書籍という形にして、他者からの批判と検証を必要とする。それゆえ本書を編んで下さった版元にはお礼の申し上げようがないのである。一次読者としての「編集作業」なくして、本は成り立たない。編集長の松田健さんと担当の藤岡美玲さんに感謝している。

なお執筆の分担は、第一章と第二章の前半及び終章は主に中沢が書き、第二章〜第六章は光山が書いているが、お互いがそれぞれ補足しているのは当然である。

二〇二〇年四月

光山博敏・中沢孝夫

参考引用文献

青島矢一、延岡健太郎「3次元CAD技術による製品開発プロセスの変革」『日本労働研究雑誌』第四三巻、二〇〇一年
浅沼萬里『日本の企業組織 革新的適応のメカニズム――長期取引関係の構造と機能』東洋経済新報社、一九九七年
伊丹敬之、今井賢一「日本の企業と市場――市場原理と組織原理の相互浸透」『季刊現代経済』四三号、一九八一年
猪木武徳『学校と工場――日本の人的資源』読売新聞社、一九九六年
岩本晃一『インダストリー4・0――ドイツ第4次産業革命が与えるインパクト』日刊工業新聞社、二〇一五年
サイモン・ウィンチェスター／梶山あゆみ訳『精密への果てなき道――シリンダーからナノメートルEUVチップへ』早川書房、二〇一九年
尾高煌之助『労働市場分析――二重構造の日本的展開』岩波書店、一九八四年

尾高煌之助『【新版】職人の世界 工場の世界』NTT出版、二〇〇〇年
清成忠男『日本中小企業の構造変動』新評論、一九七〇年
具承桓・藤本隆宏「自動車部品産業におけるデジタル技術の利用と製品開発――三次元CADを中心に」『Discussion Paper Series CIRJE-J-27』二〇〇〇年
楠木建、野中郁次郎、永田晃也「日本企業の製品開発における組織能力」『組織科学』二九（一）、九二〜一〇八頁、一九九五年
クレイトン・クリステンセン『増補改訂版 イノベーションのジレンマ――技術革新が巨大企業を滅ぼすとき』翔泳社、二〇〇一年
経済産業省／文部科学省／厚生労働省編『ものづくり白書』二〇〇九年版、二〇一五年版、二〇一六年版、経済産業調査会
経済産業省編『通商白書』二〇一五年版、二〇一六年版、勝美印刷
経済産業省編『通商白書――震災を越え、グローバルな経済的ネットワークの再生強化に向けて』二〇一一年版、山浦印刷
小池和男『仕事の経済学』東洋経済新報社、一九九一年／（第三版）二〇〇五年
小関智弘『町工場巡礼の旅』現代書館、二〇〇二年
佐藤芳雄「日本型下請生産システム形成の軌跡と到達点」『三田商学研究』二九巻二号、一九八六年
中小企業庁編『中小企業白書』二〇一〇年版、二〇一二年版、二〇一九年版、日経印刷

中岡哲郎『技術形成の国際比較――工業化の社会的能力』筑摩書房、一九九〇年
中岡哲郎他『新技術の導入――近代機械工業の発展』同文舘出版、一九九三年
中岡哲郎『日本近代技術の形成――〈伝統〉と〈近代〉のダイナミクス』朝日選書、二〇〇六年
中沢孝夫『グローバル化と中小企業』筑摩選書、二〇一二年
中沢孝夫『世界を動かす地域産業の底力――備後・府中100年の挑戦』筑摩書房、二〇一六年
中沢孝夫・中沢明子「下町の老舗パン店、全国区ブランドに」『PRESIDENT』二〇一六年一一月一二日号、プレジデント社、二〇一六年
日経ビジネス編『まるわかりインダストリー4・0――第4次産業革命』日経BP社、二〇一五年
延岡健太郎『価値づくり経営の論理――日本製造業の生きる道』日本経済新聞出版社、二〇一一年
ロバート・A・バーゲルマン／石橋善一郎、宇田理訳『インテルの戦略――企業変貌を実現した戦略形成プロセス』ダイヤモンド社、二〇〇六年
朴英元、藤本隆宏、阿部武志「エレクトロニクス製品の製品アーキテクチャとCAD利用」『MMRC Discussion Paper』二二三号、一〜二三頁、二〇〇八年
福沢諭吉『文明論之概略』松沢弘陽校注、岩波文庫、一九九五年
藤本隆宏『生産システムの進化論――トヨタ自動車にみる組織能力と創発プロセス』有斐閣、一

九九七年
藤本隆宏『能力構築競争――日本の自動車産業はなぜ強いのか』中公新書、二〇〇三年
藤本隆宏『日本のもの造り哲学』日本経済新聞社、二〇〇四年
藤本隆宏『生産マネジメント入門1・2』第八版、二〇〇五年
藤本隆宏、Kim, B. Clark『製品開発力――日米欧自動車メーカー二〇社の詳細調査』ダイヤモンド社、一九九三年
藤本隆宏・新宅純二郎・青島矢一『日本のものづくりの底力』東洋経済新報社、二〇一五年
藤本隆宏・新宅純二郎『グローバル化と日本のものづくり』放送大学教育振興会、二〇一五年／改訂新版、二〇一九年
藤本隆宏・中沢孝夫『グローバル化と日本のものづくり』放送大学教育振興会、二〇一一年
前田裕子「戦時期航空機工業と生産技術形成――三菱重工業の航空エンジンと深尾淳二」『経営史学』第三三巻第二号、二三～四九頁、一九八九年
前田裕子「後発国と生産技術形成――日本の経験から」『神戸大学国際協力論集』第六巻第二号、一九三～二一三頁、一九九八年
光山博敏／中沢孝夫「インダストリー4・0の崩壊とその先にあるもの」『一橋ビジネスレビュー』東洋経済新報社、二〇一七年冬号
南亮進・清川雪彦編『日本の工業化と技術発展』東洋経済新報社、一九八七年
ピーター・M・センゲ『最強組織の法則――新時代のチームワークとは何か』徳間書店、一九九九

五年
Abernathy, W. J., Clark, K. B. and Kantrow, A. M., *Industrial renaissance. Producing a competitive future for America*, New York: Basic Books, 1983.
Argyris, C. and Schon, D. A., *Theory in practice: Increasing professional effectiveness*. Jossey-Bass, San Francisco, CA, 1974.
Arthur, W. B., Competing Technologies, Increasing Returns, and Lock-In by Historical Events. *The Economic Journal, Vol. 99, No. 394*, pp. 116-131, 1989.
Asanuma, B., Manufacture-Supplier Relationships in Japan and Concept of Relation-Specific Skills. *Kyoto University Working Paper, Vol. 2*, pp1-44, 1998.
Barney, J. B., Firm Resources and Sustained Competitive Advantage. *Journal of Management. Vol. 17, No. 1*, pp. 99-120, 1991.
Barney, J. B. *Gaining and Sustaining Competitive Advantage*, Second Edition, Prentice Hall, 1997.（邦訳『企業戦略論・上――基本編　競争優位の構築と持続』岡田正大訳、ダイヤモンド社、二〇〇三年）
Barney, J. B. Resource-Based Theories of Competitive Advantage: A Ten-Year Retrospective on the Resource-Based View. *Journal of Management*. pp. 643-645, 2001.
Barton, L. D., *Wellsprings of Knowledge*, HBS Press, 1995.（邦訳『知識の源泉――イノベーションの構築と持続』阿部孝太郎・田畑暁生訳、ダイヤモンド社、二〇〇一年）

Bettis, R. A. and Prahalad, C. K.. The Dominant Logic: Retrospective and Extension. *Strategic Management Journal, Vol. 16*, pp. 5–14, 1995.

Bower, J. L. and Gilbert, C. G.. *From resource allocation to strategy*. Oxford University Press, 2007.

Christensen, C. M. & Bower, J. L.. Customer power, strategic investment, and the failure of leading firms. *Strategic Management Journal, 17*, pp. 197–218, 1996.

Cohen, W. M. and Levinthal, D. A.. Absorptive Capacity: A New Perspective on Learning and Innovation. *Administrative Science Quarterly, Vol. 35, No. 1*, Special Issue: Technology, Organizations, and Innovation, pp. 128–152, 1990.

Dierickx, I. and Cool, K.. Asset Stock Accumulation and Sustain abilities of Competitive Advantages. *Management Science, 35*, pp. 1504–1511, 1989.

Hamel, G. and Prahalad, C. K.. The core competence of the corporation. *Harvard Business Review Vol. 68*, pp. 79–91, 1990.

Hamel. G. and Prahalad. C. K.. *Competing for the Future*, Harvard Business School Publishing, 1994.

Helper, S. and Levine, D.. Long-Term Supplier Relations and Product-Market Structure. *Journal of Law Economics and Organization. Vol. 8,* pp. 561–581, 1992.

Itami, H.. *Mobilizing invisible assets*. Harvard University Press, MA., 1987.

Leonard-Barton, D.. Core capabilities and core rigidities: A paradox in managing new product development. *Strategic Management Journal, 13 (Special Issue, Summer)*, pp. 111–125, 1992.

Lieberman, M. B. and Montgomery, D. B.. First Mover Advantages. *Strategic Management Journal, 9 (Special Issue)*, pp. 41–58, 1988.

McEvily, S. and Chakravarthy, B.. The Persistence of Knowledge-based Advantage: An Empirical Test for Product Performance and Technological Knowledge. *Strategic Management Journal, 23, (4)*, pp. 285–305, 2002.

Miles, R. E., Snow, C. C., Meyer, A.D., and Coleman, Jr. H. J.. Organizational Strategy, Structure, and Process. *The Academy of Management Review, Vol. 3, No. 3*, pp. 546–562, 1978.

Mintzberg, H.. Strategy-making in three modes. *California Management Review, Vol. 16 No. 2*, pp. 44–53, 1973.

Mintzberg, H.. The Design School: Reconsideration of the Basic Premises of Strategic Management. *Strategic Management Journal, Vol, 11, (3)*, pp. 171–195, 1990.

Mintzberg. H.. *Calculated Chaos*, Llumina, Pr., 2004.（邦訳ハーバード・ビジネス・レビュー編集部『経営論』ダイヤモンド社、二〇〇七年）

Mitsuyama, H.. The hidden competitiveness of Japanese manufacturing industry. *The macrotheme review and the Macrotheme report, Vol. 2 issue 3*, pp. 10–21, 2013.

Mitsuyama, H.. A study on the correlation between inimitable factors and sustainable competitive advantage for Detail Controlled Parts Manufacturers in Japan. *International Journal of Business and Management Studies, Vol. 3,(2)*, pp. 137-147, 2014

Penrose, E. T.. *The theory of the growth of the firm*. Basil Blackwell, 1959.（邦訳『企業成長の理論【第三版】』日高千景訳、ダイヤモンド社、二〇一〇年）

Prahalad, C. K. and R. Bettis.. The Dominant Logic: A new linkage between diversity and performance. *Strategic Management Journal 7*, pp. 485-501, 1986.

Prahalad, C. K. and Hamel, G.. The core competence of the corporation. *Harvard Business, Review, 68,*（*3*), pp. 79-91, 1990.（邦訳『コア・コンピタンス経営——大競争時代を勝ち抜く戦略』一條和生訳、日本経済新聞社、一九九五年）

Rumelt, R. P.. *Strategy, structure and economic performance*. Cambridge, Harvard University Press, 1974.

Rumelt, R. P.. *Precis of inertia and transformation*. Kluwer Academic Publishers, pp. 101-132, 1995.

Rumelt, R. P.. *Good strategy / Bad strategy*, Random house, 2011.（邦訳『良い戦略、悪い戦略』村井章子訳、日本経済新聞出版社、二〇一二年）

Senge, P.. *The fifth discipline: The art and practice of the learning organization.*, Doubleday, 1990.

Wernerfelt, B. A.. resource-based view of the firm. *Strategic Management Journal 5, (2)*, pp. 171-

180, 1984.
Wernerfelt, B. The resource-based view of the firm: Ten years after. *Strategic Management Journal 16, (3)*, pp. 171-174, 1995.

ちくま新書
1494

現場力（げんばりょく）
――強い日本企業の秘密（つよいにほんきぎょうのひみつ）

二〇二〇年五月一〇日　第一刷発行

著　者　光山博敏（みつやま・ひろとし）
中沢孝夫（なかざわ・たかお）

発行者　喜入冬子

発行所　株式会社 筑摩書房
東京都台東区蔵前二-五-三　郵便番号一一一-八七五五
電話番号〇三-五六八七-二六〇一（代表）

装幀者　間村俊一

印刷・製本　株式会社 精興社

Printed in Japan
ISBN978-4-480-07312-9 C0234

ちくま新書

1065
中小企業の底力
――成功する「現場」の秘密
中沢孝夫
国内外で活躍する日本の中小企業。その強さの源は何か？　独自の技術、組織のつくり方、人材育成……。多くの現場取材をもとに、成功の秘密を解明する一冊。

1166
ものづくりの反撃
中沢孝夫
藤本隆宏
新宅純二郎
「インダストリー4.0」「ＩｏＴ」などを批判的に検証し、日本の製造業の潜在力を分析。現場で思考をつづけてきた経済学者が、日本経済の夜明けを大いに語りあう。

1351
転職のまえに
――ノンエリートのキャリアの活かし方
中沢孝夫
仕事人生の転機において何を考えるべきか？　雇用の基本、キャリア、自己投資。中小企業論の第一人者が様々な実例とともに語る、中高年からの働き方「再」入門。

1268
地域の力を引き出す企業
――グローバル・ニッチトップ企業が示す未来
細谷祐二
地方では、ニッチな分野で世界の頂点に立つ「ＧＮＴ」企業の存在感が高まっている。その実態を紹介し、国や自治体の支援方法を探る。日本を救うヒントがここに！

1368
生産性とは何か
――日本経済の活力を問いなおす
宮川努
停滞にあえぐ日本経済の再生には、生産性向上が必要だ。誤解されがちな「生産性」概念を経済学の観点から捉えなおし、その向上策を詳細なデータと共に論じる。

1413
日本経営哲学史
――特殊性と普遍性の統合
林廣茂
中世から近代まで日本経営哲学の展開をたどり、渋澤栄一、松下幸之助、本田宗一郎ら20世紀の代表的経営者の思想を探究。日本再生への方策を考察する経営哲学全史。

842
組織力
――宿す、紡ぐ、磨く、繋ぐ
高橋伸夫
経営の難局を打開するためには、〈組織力〉を宿し、紡ぎ、磨き、繋ぐことが必要だ。新入社員から役員まで、組織人なら知っておいて損はない組織論の世界。

ちくま新書

827
現代語訳 論語と算盤
渋沢栄一
守屋淳訳
資本主義の本質を見抜き、日本実業界の礎となった渋沢栄一。経営・労働・人材育成など、利潤と道徳を調和させる経営哲学には、今なすべき指針がつまっている。

225
知識経営のすすめ
――ナレッジマネジメントとその時代
野中郁次郎
紺野登
日本企業が競争力をつけたのは年功制や終身雇用の賜物のみならず、組織的知識創造を行ってきたからである。知識創造能力を再検討し、日本的経営の未来を探る。

619
経営戦略を問いなおす
三品和広
戦略と戦術を混同する企業が少なくない。見せかけの「戦略」は企業を危うくする。現実のデータと事例を数多く紹介し、腹の底からわかる「実践的戦略」を伝授する。

396
組織戦略の考え方
――企業経営の健全性のために
沼上幹
組織を腐らせてしまわぬため、主体的に思考し実践しよう！　組織設計の基本から腐敗への対処法まで「これウチの会社！」と誰もが嘆くケース満載の組織戦略入門。

851
競争の作法
――いかに働き、投資するか
齊藤誠
なぜ経済成長が幸福に結びつかないのか？　標準的な経済学の考え方にもとづき、確かな手触りのある幸福を築く道筋を考える。まったく新しい「市場主義宣言」の書。

1032
マーケットデザイン
――最先端の実用的な経済学
坂井豊貴
腎臓移植、就活でのマッチング、婚活パーティー!?　お金で解決できないこれらの問題を解消する画期的な思考を解説する。経済学が苦手な人でも読む価値あり！

1179
日本でいちばん社員のやる気が上がる会社
――家族も喜ぶ福利厚生100
坂本光司＆坂本光司研究室
全国の企業1０００社にアンケートをし、社員と家族を幸せにしている100の福利厚生事例と、業績にも確実によい効果が出ているという分析結果を紹介する。

ちくま新書

1479
地域活性マーケティング
岩永洋平
地方の味方は誰か。どうすれば地域産品を開発、ブランド化できるのか。ふるさと納税にふるさとへの思いはあるか。地方が稼ぐ仕組みと戦略とは。

1277
消費大陸アジア
——巨大市場を読みとく
川端基夫
中国、台湾、タイ、インドネシア……いま盛り上がるアジア各国の市場や消費者の特徴・ポイントを豊富な実例で解説する。成功する商品・企業は何が違うのか?

1276
経済学講義
飯田泰之
ミクロ経済学、マクロ経済学、計量経済学の主要3分野をざっくり学べるガイドブック。体系を理解して、大学で教わる経済学のエッセンスをつかみとろう!

1260
金融史がわかれば世界がわかる【新版】
——「金融力」とは何か
倉都康行
金融取引の相関を網羅的かつ歴史的にとらえ、資本主義がどのように発展してきたかを観察。旧版を大幅に改訂し、実務的な視点から今後の国際金融を展望する。

1128
若手社員が育たない。
——「ゆとり世代」以降の人材育成論
豊田義博
まじめで優秀、なのに成長しない。そんな若手社員が増加している。本書は、彼らの世代的特徴、職場環境、大学での経験などを考察し、成長させる方法を提案する。

1138
ルポ 過労社会
——八時間労働は岩盤規制か
中澤誠
長時間労働が横行しているのに、さらなる規制緩和は必要なのか? 雇用社会の死角をリポートし、「働きすぎの日本人」の実態を問う。佐々木俊尚氏、今野晴貴氏推薦。

976
理想の上司は、なぜ苦しいのか
——管理職の壁を越えるための教科書
樋口弘和
いい上司をめざすほど辛くなるのはなぜだろう。頑張るほど疲弊してしまう現代の管理職。では、その苦労の理由とは。壁を乗り越え、マネジメント力を上げる秘訣!